ÉDITEURS ET RÉDACTEURS EN CHEF
Sandrine Balthazard   sandrine@vinsbalthazard.com
Julien Martel   julien.martel@hec.ca

....

Un immense merci aux chefs, sous-chefs, sommeliers,
maîtres d'hôtel et autres professionnels qui ont bénévolement
collaboré au présent ouvrage.

Nous tenons également à remercier les personnes suivantes,
sans qui, le livre n'aurait pas vu le jour :

SOMMELIÈRE
Élyse Lambert
DESIGN
Alexandre Renzo
Alexandre Bélanger
Daphnée Brisson-Cardin
Oumayma Ben Tanfous
Océane Nicoletti
Maude Thibodeau
Maryo Thomas
Jolin Masson
Pier-Luc Saint-Germain
PHOTOGRAPHIE
Jean-François Hétu   www.jeanfrancoishetu.com
RÉDACTION DES TEXTES SUR LES CHEFS
Paul Therrien
RÉDACTION DU TITRE ET DE L'AVANT-PROPOS
Sophie Bordes
RÉVISEURE-CORRECTRICE
Delphine Naum

....

REMERCIEMENTS
Jacques Balthazard et Andrée Savard
François Courville
Christine Kark
Kim Marois
Martin Dubé
Julie Normand
Jean Simard
Nico J. Snyman
Laurent Walter
Maryo Thomas
Sébastien St-Hilaire
Émilie Bachelier
L'équipe de Messageries de Presse Benjamin
Éric Sicotte et l'équipe du 4ᵉ   www.le4.ca
L'équipe de Vins Balthazard   www.vinsbalthazard.com

....

PUBLIÉ PAR
Sandrine Balthazard et Julien Martel
9169-6690 Québec inc.
8, place du Commerce, bureau 103
Île-des-Sœurs (Québec) H3E 1N3

**PAS BESOIN D'ÊTRE VÉGÉ POUR AIMER CE LIVRE :
RECETTES DE 35 GRANDS CHEFS DU QUÉBEC**
ISBN 978-2-9812389-0-0
Dépôt légal : 1ᵉʳ trimestre 2011
Bibliothèque et Archives nationales du Québec, 2011
Bliblothèque et Archives Canada, 2011

DIFFUSION Messageries de Presse Benjamin inc.
IMPRESSION Imprimerie Transcontinental Interglobe,
Beauceville (Québec)

 Pas besoin d'être végé
pour aimer ce livre

Imprimé au Canada

PAS BESOIN D'ÊTRE VÉGÉ POUR AIMER CE LIVRE

RECETTES DE 35 GRANDS CHEFS DU QUÉBEC

Table des matières

Le végé, ce n'est pas seulement manger santé, c'est avoir du plaisir.

Certes, ce n'est pas le premier livre de recettes végétariennes à paraître chez les libraires. Ce n'est sûrement pas non plus le premier livre à vous vanter les mille et une saveurs de la cuisine végétarienne. Mais si vous n'êtes pas un amateur convaincu, c'est peut-être le premier livre du genre qui vous donnera l'envie de découvrir votre petit côté végé. Le premier qui vous prouvera qu'on peut à la fois manger végé et aimer manger. Mieux encore, le premier qui vous proposera de boire du bon vin pour accompagner votre plat végétarien. Car, page après page, le plaisir est omniprésent. Plaisir des papilles et plaisir des yeux. Plaisir de se mettre à table et plaisir de recevoir. Les recettes se succèdent en images, plus appétissantes les unes que les autres. Leur originalité ? Elles vous sont offertes par 35 chefs de grands restaurants du Québec, photographiés dans leur univers, qui ont accepté de partager leur savoir-faire et leur créativité. Avis aux épicuriens, comme son nom l'indique, *Pas besoin d'être végé pour aimer ce livre*, il suffit seulement d'être un amoureux de ce qu'on appelle communément la bonne bouffe !

À propos

À l'origine de cette belle idée se trouvent Sandrine Balthazard et Julien Martel,
amis, *foodies*, partenaires d'affaires et grands amateurs de vins.

Mettant en commun leurs compétences et leurs visions pour créer ce livre, Sandrine et Julien ont testé l'ensemble des recettes qu'il contient. Le résultat représente, pour eux, le plaisir de bien manger et de bien boire, tout à la fois.

Sandrine est directrice du marketing et des événements chez l'importateur Vins Balthazard, une entreprise familiale. En prenant son poste en 2009, cette végétarienne s'est demandé si elle aurait à sacrifier ses mœurs pour œuvrer dans le milieu du vin qui, traditionnellement, regorge de carnivores assumés… La réponse est dans ce livre !

Julien est un épicurien passionné de vin qui parcourt les salons de dégustation et les bonnes tables de la province depuis plusieurs années. Cofondateur du magazine *Santé inc.*, une publication médicale, il en est l'éditeur et le rédacteur en chef depuis les tout premiers débuts en 2004.

Des plats végétariens, d'abord gastronomiques

Réunir **vins** et **végé** ?
Les prémisses de ce livre furent aussitôt jetées !

Élyse Lambert peut aussi être amicalement étiquetée de végétarienne à temps partiel :
la présence de protéines animales dans son assiette fait de moins en moins partie de son quotidien.
La sommelière en elle ne s'empêche pas pour autant d'apprécier un bon verre de vin !

Depuis ses débuts en sommellerie, Élyse Lambert a occupé plusieurs postes dans des établissements de renom au Québec. Son parcours l'a menée à travailler au Relais & Châteaux L'Eau à la Bouche (Sainte-Adèle) et l'équipe du Manoir Hovey (North Hatley). De 2000 à 2004, elle a fait partie de la brigade du 5 diamants CAA et Relais & Châteaux l'Auberge Hatley (North Hatley). De 2005 à 2008, elle fait partie de l'équipe du XO, restaurant de l'Hôtel Le St-James à Montréal. Pour avoir le plaisir de la croiser présentement, il faut se déplacer dans le Vieux Montréal, au restaurant Le Local où elle partage sa passion et ses connaissances du monde vinicole.

Élyse est lauréate du concours Meilleur Sommelier du Québec 2004. Elle a aussi remporté la troisième position du Concours du Meilleur Sommelier du Canada en 2006. Cette qualification lui a permis de participer au Concours du Meilleur Sommelier des Amériques qui se tenait à Buenos Aires en mai 2009, compétition qu'elle a remportée. À titre de Meilleur Sommelier des Amériques, Élyse a représenté le Canada à l'ultime concours du Meilleur Sommelier du Monde au Chili en avril 2010 où elle a accédé à la demi-finale. Elle fait maintenant partie du top 12 mondial.

MARTIN
JUNEAU

NEWTOWN

1476, rue Crescent, Montréal (Québec) H3G 2B6   514 284-6555   www.lenewtown.com

En quelques années seulement, Martin Juneau s'est taillé une place de choix au cœur d'un groupe sélect de chefs que tous les véritables aficionados de grande gastronomie connaissent par leurs prénoms. Le jeune chef aime offrir à sa clientèle un menu différent chaque jour. Il crée des mets qui sortent des carcans traditionnels ; les petits plats qu'il invente prennent la forme de tapas généreuses, sortes d'hybrides entre l'entrée et le plat principal, et chaque bouchée porte en elle des saveurs à la fois originales et raffinées. Le chef joue avec une thématique déclinée en plusieurs temps, donnant à chacun de ses plats une personnalité distincte et unique. Martin a un penchant pour les classiques gastronomiques français, qu'il s'amuse à réinventer et à rajeunir, sans jamais les dénaturer, permettant à de nouvelles textures, couleurs, formes et saveurs de s'harmoniser, sans jamais fausser. Sa cuisine est inventive, éclectique et sans prétention. Son talent et sa grande versatilité font de la cuisine où œuvre le magicien l'une des plus créatives de la province.

Enfant, il ne se destine aucunement à une carrière en restauration. C'est lorsqu'il déniche un boulot d'étudiant à la plonge dans un grand hôpital, alors qu'il ne sait pas encore cuisiner, qu'il découvre l'esprit et la culture d'une cuisine, et qu'il attrape la piqûre de l'art culinaire. Sa formation ultérieure l'amènera à travailler aux côtés de plusieurs grands chefs inspirants, qui, au-delà du désir de faire de la fine cuisine, ne cherchent rien de moins que la perfection, pour faire vivre à leurs clients le summum de l'expérience gastronomique dans sa globalité. Toujours humble malgré son talent évident, il a fait sienne cette philosophie de cuisine en l'adaptant à sa personnalité et à ses valeurs. Il se joint ensuite à La Montée de Lait, qui lui a permis de bâtir la solide notoriété dont il jouit aujourd'hui, avant d'accepter le poste de chef au Newtown. Le chef Juneau a été nommé par ses pairs le meilleur chef du Québec dans la catégorie « Étoile montante », tel que publié dans le Magazine Gastronomie. De plus, il a remporté les honneurs québécois et canadiens en février 2011, lors de la compétition Gold Medal Plates, un prestigieux concours culinaire, dont l'objectif est d'amasser des fonds pour les athlètes olympiques et paralympiques canadiens.

Comme un risotto

AUX CAROTTES

POUR :	TEMPS DE PRÉPARATION :	TEMPS DE CUISSON :
4 PERSONNES	10 MINUTES	25 MINUTES

INGRÉDIENTS

3 tasses (750 ml) de carottes multicolores

2 c. à s. (30 ml) de crème 35 %

1 tasse (200 g) de fromage mimolette

½ tasse (125 ml) de vin blanc

½ tasse (125 ml) de bouillon de légumes

3 c. à s. (45 ml) d'huile d'olive

2 c. à s. (30 ml) d'échalotes

1 oignon de taille moyenne

Sel et poivre, au goût

1   Couper les carottes en deux, dans le sens de la longueur. Les couper ensuite en fines demi-rondelles. Obtenir ainsi 3 tasses (750 ml) de carottes et réserver.

2   Couper l'oignon en brunoise (petits dés). À feu moyen, faire chauffer l'huile d'olive dans une poêle à fond profond. Ajouter l'oignon et faire suer de 4 à 5 minutes.

3   Ajouter les carottes et faire cuire 2 minutes supplémentaires.

4   Déglacer avec le vin blanc ; bien mélanger. Laisser cuire de 5 à 6 minutes, le temps que le liquide ait considérablement réduit.

5   Ajouter le bouillon de légumes ; bien mélanger. Laisser reposer de 6 à 7 minutes supplémentaires, en brassant occasionnellement, le temps que le liquide ait pratiquement disparu et que les carottes soient à peine croquantes.

6   Enlever la croûte de la mimolette et la couper en petits dés. Incorporer le fromage dans la poêle et bien remuer, jusqu'à ce que le fromage ait fondu.

7   Ajouter du sel et du poivre, au goût.

8   Servir immédiatement en entrée ou comme plat d'accompagnement, en décorant le tout avec l'échalote ciselée et un filet d'huile d'olive de bonne qualité.

Gnocchis

DE YUKON GOLD À LA PUTTANESCA

POUR :	TEMPS DE PRÉPARATION :	TEMPS DE CUISSON :	TEMPS D'ATTENTE :
4 PERSONNES	45 MINUTES	25 MINUTES	45 MINUTES

GNOCCHIS

3 grosses pommes de terre Yukon Gold

1 tasse (250 ml) de farine

1 œuf

⅓ tasse (80 ml) de gros sel

1 c. à s. (15 ml) de sel

2 c. à s. (30 ml) d'huile d'olive

1 oignon

Sel et poivre, au goût

1 Préchauffer le four à 350°F. Sur une plaque allant au four, placer les pommes de terre entières sur un lit de gros sel, et les faire cuire au four environ 45 minutes, jusqu'à ce qu'elles soient tendres.

2 Peler ensuite les pommes de terre et les réduire en purée au robot culinaire.

3 Incorporer l'œuf et la farine. Bien mélanger pour obtenir une pâte homogène. Au besoin, ajouter un peu de farine ou d'eau.

4 À la main, sur une surface de travail bien farinée, former une belle pâte ferme.

5 Couper la pâte en 6. À la main, rouler un premier morceau afin de lui donner la forme d'un serpent d'un pouce de circonférence. Toujours bien fariner la pâte si elle devient collante. Au couteau, détailler délicatement une vingtaine de petites pièces d'un centimètre de longueur. Déposer ces pièces sur une grande plaque farinée. Répéter ces opérations avec les autres morceaux de pâte.

6 Porter une grande casserole remplie d'eau à ébullition. Ajouter la cuillérée de sel et incorporer les gnocchis, en prenant bien soin de ne pas stopper l'ébullition. Les gnocchis sont suffisamment blanchis lorsqu'ils remontent à la surface, 5 à 6 minutes plus tard.

7 Dans une grande poêle, ajouter l'huile d'olive et faire chauffer à feu moyen. Couper l'oignon en brunoise (petits dés) et le faire sauter dans la poêle. Incorporer les gnocchis et les faire dorer doucement, durant 5 à 6 minutes. Servir immédiatement avec la garniture puttanesca, un peu de persil frais et un trait d'huile d'olive de bonne qualité.

GARNITURE PUTTANESCA

3 poivrons rouges

12 tomates cerise

½ tasse (125 ml) d'olives Kalamata

2 c. à s. (30 ml) de câpres

3 c. à s. (45 ml) d'huile d'olive

4 c. à thé (20 ml) de vinaigre de vin rouge

Piments forts (chili broyé), au goût

Sel et poivre, au goût

1 Sur une plaque huilée, griller les poivrons au four jusqu'à ce que leur peau ait noirci et ait des cloques sur la majeure partie de sa surface. En cours de cuisson, tourner les poivrons pour modifier la surface de contact avec la chaleur et faciliter l'homogénéité du processus.

2 Laisser refroidir les poivrons et enlever ensuite leur peau.

3 Épépiner les poivrons et les tailler en longues languettes.

4 Couper les tomates en deux et hacher les olives Kalamata. Déposer les tomates et les olives dans un bol et incorporer l'huile d'olive, le vinaigre de vin rouge, les languettes de poivrons rôtis, les câpres, les piments forts, puis le sel et le poivre, au goût. Bien mélanger. Servir directement sur les gnocchis.

Aloo Gobi

REVISITÉ

POUR : 4 À 6 PERSONNES	TEMPS DE PRÉPARATION : 15 MINUTES	TEMPS DE CUISSON : 45 MINUTES

BASE DE CARI

6	oignons
⅓ tasse (80 ml)	de beurre
1 c. à s. (15 ml)	d'huile d'olive
1 c. à s. (15 ml)	de cari en poudre

1 Émincer les oignons en tranches fines.

2 Dans une grande poêle, faire fondre le beurre. Ajouter l'huile d'olive et les oignons.

3 Faire revenir les oignons à feu moyen, pendant environ 45 minutes, en remuant de temps en temps, afin d'obtenir une confiture d'oignons foncés et caramélisés.

4 Déposer ensuite les oignons caramélisés dans un mélangeur et les réduire en purée lisse. Il est fort probable de devoir ajouter un peu d'eau pour réduire confiture plus facilement.

5 Ajouter le cari et bien mélanger.

YOGOURT À LA CORIANDRE

2 tasses (500 ml)	de yogourt nature méditerranéen 10 %
⅓ tasse (80 ml)	de coriandre fraîche

1 Hacher finement la coriandre fraîche et bien la mélanger avec le yogourt. Réserver.

AUTRES INGRÉDIENTS

2	gros oignons espagnols
4	tomates italiennes
2	pommes de terre Yukon Gold
1	chou-fleur
1 c. à s. (15 ml)	de cumin moulu
1 c. à thé (5 ml)	de piment fort (chili broyé)
1 c. à s. (15 ml)	de beurre
2 c. à s. (30 ml)	d'huile d'olive
	Sel, au goût

1 Émincer les oignons espagnols en tranches fines.

2 Dans une grande casserole profonde, faire fondre le beurre. Ajouter l'huile d'olive.

3 Faire sauter les oignons à feu moyen-élevé pendant environ 7 minutes, le temps que leur volume réduise un peu, en remuant occasionnellement.

4 Épépiner les tomates et les couper en gros cubes. Les ajouter dans la casserole.

5 Couper les pommes de terre et le chou-fleur en gros morceaux. Les ajouter dans la casserole.

6 Ajouter le cumin, le sel et le piment, au goût.

7 Laisser cuire à feu moyen de 20 à 30 minutes, le temps que tous les légumes soient bien cuits et fondants.

8 Ajouter la base de cari. Cette pâte agira comme agent liant.

9 Servir immédiatement avec une généreuse cuillerée de yogourt à la coriandre.

FERREIRA CAFÉ

1446, rue Peel, Montréal (Québec) H3A 1S8
514 848-0988
www.ferreiracafe.com

F BAR

1485, rue Jeanne-Mance, Montréal (Québec) H2X 2J4
514 289-4558
www.fbar.ca

Carlos Ferreira est un restaurateur et homme d'affaires d'origine portugaise ayant fait de Montréal et du Québec son chez soi. Il est le propriétaire du restaurant Ferreira Café, un carrefour où la haute gastronomie et le milieu des affaires se rencontrent. Cette aventure culinaire a débuté lorsque M. Ferreira avait 19 ans ; accompagné de son frère Julio, il s'installe alors au Québec. Les premières années passées dans la Belle Province n'effacent cependant pas son intérêt et son attachement pour sa terre natale. En fondant le Ferreira Café en 1996, il voulait que les Québécois puissent découvrir le Portugal à leur tour, par les plats, avant tout, mais aussi par le décor chaleureux du restaurant qui rappelle ce pays où l'Europe embrasse l'Atlantique. Une sélection de portos et de vins du Portugal unique au Canada a été élaborée avec soin pour accompagner les mets issus de la cuisine de l'établissement, dont les fruits de mer sont la spécialité et l'ouverture sur le monde, l'un des principes fondateurs. À l'origine de la création des plats se trouve le chef exécutif Marino Tavares, médaillé d'or du concours alimentaire les Chefs en Or et Étoile du Gala des chefs en 2008. Il est un surdoué de la préparation des poissons et fruits de mer et manie les épices avec distinction.

Carlos Ferreira a su être à la hauteur de son succès en créant le Café Vasco da Gama où les clients peuvent goûter à l'un des fameux « sandwichs du monde ». Il est possible de recevoir les produits du Café chez soi ou au bureau grâce à son service de traiteur.

À l'été 2010, Carlos Ferreira crée le F Bar, qui jouxte le Musée d'art contemporain. Le chef Gilles Herzog, originaire du sud de la France, a composé un menu spécialisé en fruits de mer, inspiré de ses origines méridionales, avec une touche portugaise en prime. Au F Bar, les portions sont adaptées aux hommes et aux femmes, les mets sont également présentés aux clients dans des chaudrons en fonte et de grands plats en terre cuite, dans la plus pure tradition portugaise. Confirmant son rôle de bâtisseur de ponts culturels, Carlos Ferreira a publié *Du Portugal à Montréal*, en 2009, où la gastronomie portugaise est à l'honneur. En juin 2010, à Lisbonne, des mains mêmes du président de son pays natal, il a reçu le prix *Empreendorismo Inovador na Diáspora Portuguesa*, remis aux citoyens portugais qui se sont distingués par leur entrepreneuriat et leur esprit d'innovation dans leur pays d'accueil.

MARINO TAVARES   GILLES HERZOG

CARLOS
FERREIRA

Pizza polenta

PAR GILLES HERZOG

POUR :	TEMPS DE PRÉPARATION :	TEMPS D'ATTENTE :	TEMPS DE CUISSON :
4 PERSONNES	20 MINUTES	2 HEURES	10 MINUTES

COMPOTE DE TOMATES

8 tomates
1 c. à s. (15 ml) de cassonade
2 c. à s. (30 ml) d'huile d'olive
Sel, au goût

1 Épépiner les tomates et les couper en quartiers.

2 Dans un bol, mélanger les tomates avec l'huile d'olive, la cassonade et le sel.

3 Placer les tomates sur une plaque préalablement couverte d'aluminium et les faire cuire au four, pendant 2 heures, à 300 °F, en remuant occasionnellement. Obtenir la consistance d'une compote. Réserver.

POLENTA

2 tasses (500 ml) de bouillon de légumes
½ tasse (100 g) de fromage de chèvre
⅔ tasse (100 g) de farine de maïs à polenta
2 c. à s. (30 ml) d'huile d'olive
Sel et poivre, au goût

1 Dans une casserole, faire bouillir le bouillon de légumes.

2 Incorporer le fromage de chèvre, l'huile d'olive, le sel et le poivre. Bien mélanger.

3 Verser en pluie la farine de maïs, tout en fouettant. Cuire à feu doux pendant 10 minutes en mélangeant souvent.

4 Verser le mélange sur une plaque protégée par du papier ciré et le répartir pour qu'il atteigne une épaisseur d'un demi-pouce. Laisser refroidir et durcir.

5 Tailler la polenta à l'aide d'un couteau ou d'un emporte-pièce, selon la forme ou la grandeur désirée.

COULIS D'OLIVES NOIRES

½ tasse (125 ml) d'olives noires dénoyautées
1 c. à s. (15 ml) de câpres
2 à 3 c. à s. (30 à 45 ml) d'huile d'olive
Poivre, au goût

1 Mixer au mélangeur les olives, les câpres et le poivre.

2 Tout en maintenant le mélangeur activé, verser graduellement l'huile d'olive jusqu'à l'obtention d'une texture homogène et lisse. Réserver.

COURGETTES

2 courgettes
1 gousse d'ail
½ c. à s. (7,5 ml) de thym frais
2 c. à s. (30 ml) d'huile d'olive
Sel et poivre, au goût

1 Hacher l'ail finement.

2 Tailler les courgettes en fines rondelles.

3 Faire chauffer l'huile d'olive dans une grande poêle à feu vif. Faire sauter les rondelles de courgette, l'ail et le thym dans la poêle de 2 à 3 minutes. Assaisonner au goût. Réserver.

3 tasses (750 ml) de roquette fraîche
Huile d'olive
de bonne qualité
Fleur de sel

1 Déposer les disques de polenta au centre des assiettes.

2 Étaler la compote de tomates sur la polenta.

3 Déposer délicatement les courgettes sur la compote de tomates.

4 Passer au four 15 minutes à 350 °F.

5 Quelques minutes avant le service, huiler la roquette fraîche et l'assaisonner légèrement de fleur de sel.

6 Servir la pizza polenta avec le coulis d'olives frais et la salade de roquette. Les amateurs de fromage n'hésiteront pas à en ajouter sur leur portion !

SUGGESTION DE LA SOMMELIÈRE

**Alves de Sousa
Caldas
Douro (Portugal)**

La présence de la tomate et des olives noires m'amène à choisir un vin aux notes de fruits noirs, savoureux, et aux tanins patinés. Je vous transporte dans le Douro chez un vigneron talentueux qui travaille ses vins avec précision : Alves de Sousa. Ce domaine familial élabore entre autres Caldas, un vin conçu à partir des cépages locaux tinta roriz, tinta barroca et touriga nacional. À découvrir, celui-ci est fait avec soin et a un excellent rapport qualité-plaisir.

Alternative : un vin du Douro aux tanins arrondis ou un sangiovese fruité.

CODE SAQ 10865227, 13,45 $

Frittata

PAR MARINO TAVARES

POUR :	TEMPS DE PRÉPARATION :	TEMPS DE CUISSON :
4 PERSONNES	15 MINUTES	40 MINUTES

INGRÉDIENTS

8	pommes de terre grelot
3 c. à s. (45 ml)	d'huile d'olive
1	oignon espagnol de taille moyenne
1	poivron rouge
1	poivron vert
2	tomates
1	gousse d'ail
1 c. à s. (15 ml)	de paprika
1	feuille de laurier
6	œufs
1 ½ tasse (200 g)	de fromage St-Georges râpé
	Sel et poivre

1 Porter une casserole d'eau à ébullition. Y faire bouillir les pommes de terre grelot durant environ 20 minutes, jusqu'à ce qu'elles soient légèrement tendres.

2 Pendant ce temps, couper le poivron vert, le poivron rouge et l'oignon en petits dés.

3 Épépiner et couper les tomates en dés.

4 Hacher l'ail.

5 Dans une grande poêle profonde, faire chauffer l'huile d'olive à feu moyen. Incorporer les dés de poivron et d'oignon, l'ail, le paprika et la feuille de laurier. Faire suer durant 5 minutes en remuant régulièrement.

6 Ajouter les dés de tomate et faire cuire 2 minutes supplémentaires. Retirer du feu.

7 Dans un bol, battre les œufs. Assaisonner généreusement.

8 Verser les œufs dans la poêle et bien mélanger.

9 Couper les pommes de terre en tranches d'environ ¼ de pouce d'épaisseur et les étaler sur la frittata.

10 Couvrir de fromage râpé et faire cuire au four durant 20 minutes à 350°F.

11 Couper en pointes et servir immédiatement.

Haricots cocos

POUR :	TEMPS DE PRÉPARATION :	TEMPS DE CUISSON :
4 PERSONNES	30 MINUTES	35 MINUTES

HARICOTS COCOS

1 tasse (250 ml) de haricots cocos frais
2 tasses (500 ml) d'eau
1 carotte
1 oignon
1 branche de céleri
1 gousse d'ail
1 branche de thym
1 feuille de laurier
1 clou de girofle

1 Couper les légumes grossièrement.

2 Faire cuire tous les ingrédients dans une grande casserole durant 35 minutes à feu moyen-élevé.

3 Laisser refroidir les ingrédients dans le bouillon.

GARNITURE

1 tomate
1 poivron rouge
1 échalote verte
2 c. à s. (30 ml) de noix de pin

1 Épépiner et couper la tomate et le poivron en dés.

2 Ciseler l'échalote.

3 Dans une petite poêle, à feu élevé, faire rôtir à sec les noix de pin durant 2 à 3 minutes. Laisser refroidir.

4 Mélanger tous les ingrédients. Réserver.

PISTOU

½ tasse (125 ml) d'huile d'olive
2 tasses (500 ml) de basilic frais
½ gousse d'ail
Sel et poivre, au goût

1 Mélanger tous les ingrédients au robot culinaire, jusqu'à l'obtention d'une texture crémeuse. Réserver au frais, à l'abri de la lumière.

ŒUFS

4 œufs
2 c. à s. (30 ml) de vinaigre de vin blanc

1 Porter une casserole remplie d'eau à ébullition. Ajouter le vinaigre de vin blanc.

2 Casser les œufs et les plonger délicatement dans l'eau bouillante. Laisser cuire 3 minutes et 30 secondes.

3 Retirer délicatement les œufs de l'eau et les refroidir à l'eau glacée. Réserver.

BOUILLON AU PARMESAN

1 échalote française
1 branche de thym
2 tasses (500 ml) de bouillon de légumes
¼ tasse (60 ml) de parmesan
1 c. à s. (15 ml) de beurre
huile d'olive

1 Ciseler l'échalote.

2 Dans une poêle, faire chauffer l'huile d'olive à feu moyen, et faire suer les échalotes durant 1 à 2 minutes.

3 Ajouter le thym et le bouillon de légumes. Laisser cuire durant 15 minutes.

4 Ajouter le parmesan râpé et mélanger vigoureusement.

5 Retirer du feu et passer le bouillon au tamis.

6 Ajouter le beurre au bouillon et émulsionner le tout pour faire mousser.

ASSEMBLAGE

1 Réchauffer les haricots.

2 Au centre d'un bol creux, placer les haricots (sans leur bouillon). Ajouter les légumes en garniture et le pistou. Assaisonner, au goût.

3 Réchauffer les œufs dans leur liquide de cuisson. Les égoutter et les mettre sur les haricots.

4 Verser le bouillon de parmesan bien moussant tout autour.

5 Au goût, ajouter des croûtons dorés en guise de finition.

SUGGESTION DE LA SOMMELIÈRE

**Château Yvonne
Saumur (France)**

Le bouillon de parmesan et la texture beurrée du haricot coco m'amènent à proposer un vin texturé et rafraîchissant. Le Saumur du Château Yvonne est un vin à base de chenin blanc, cépage à l'acidité vive et qui, lorsqu'il est bien fait, peut être magnifiquement complété par un élevage en fût. C'est ici le cas. Son producteur nous offre un vin au rapport prix-qualité-plaisir indéniable. À l'attaque, ce vin à des notes grillées, une petite pointe beurrée, de la minéralité à souhait et une finale tout en fraicheur.

Alternative : un chardonnay européen légèrement grillé qui a de la minéralité.

CODE SAQ 10689665, 24,15 $

NORMAND LAPRISE

TOQUÉ !
900, place Jean-Paul-Riopelle, Montréal (Québec) H2Z 2B2
514 499-2084
www.restaurant-toque.com

BRASSERIE T !
1425, rue Jeanne-Mance, Montréal (Québec) H5B 1E4
514 282-0808
www.brasserie-t.com

Normand Laprise n'a, en quelque sorte, plus besoin de présentation au Québec, voire sur la scène internationale. Depuis 1993, il est le copropriétaire du Toqué !, situé dans le Vieux-Montréal, et depuis l'été 2010, de la Brasserie T ! dans le Quartier des spectacles. Le Toqué ! a toujours été synonyme de haute gastronomie à Montréal. L'établissement a aussi été une école pour toute une génération de jeunes cuisiniers, comme l'actuel chef de cuisine et complice de Normand Laprise, Charles-Antoine Crête. Ce dernier a d'abord travaillé avec Jean-Paul Giroux au restaurant Le Saint-Augustin, avant de rejoindre l'équipe du Toqué ! L'épatante inventivité et le côté pétillant et non conventionnel de Charles-Antoine sont une source intarissable d'inspiration pour toute l'équipe depuis maintenant 10 ans ; le plaisir est toujours au rendez-vous lorsqu'on travaille avec lui. Après s'être fait montré la porte de l'Institut de tourisme et d'hôtellerie du Québec, ce jeune chef, coloré et plein de promesses, a œuvré en cuisine à Sydney, en Australie, ainsi qu'au très réputé El Bulli, en Espagne.

L'art culinaire du chef Laprise se base sur l'innovation, l'intuition et le raffinement. La qualité de ses créations gastronomiques est augmentée par les produits que le chef utilise, fruits du travail acharné de producteurs et artisans québécois. C'est que le chef est un ardent défenseur des produits du terroir d'ici. Tout ce qu'il cuisine est concocté avec cette sensibilité pour l'agriculture locale, comme en fait foi le menu qui célèbre les meilleurs aliments du Québec ; les mets offerts épousent le rythme des saisons, et conjuguent les ingrédients dans toute leur diversité, en plus de donner à goûter de nouvelles saveurs qui savent ravir les plus fins palais. Normand Laprise a été l'un des premiers au Québec à se soucier de la traçabilité des ingrédients et à vouloir mettre en valeur les trésors de notre terroir ; cette expertise et cette qualité de chez nous se retrouvent dans l'assiette à tous coups !

Normand Laprise a développé son souci pour la qualité des produits en grandissant sur une ferme dans la région de Kamouraska. Il a fait ses débuts dans le monde de la restauration à l'âge de 14 ans alors qu'il était plongeur dans un restaurant. Il s'inscrit ensuite en cuisine à l'École hôtelière de Charlesbourg et effectue un stage en France. À son retour au Québec, il devient chef au Citrus pour ensuite fonder le Toqué !, rue Saint-Denis. Passionné d'enseignement, il partage ses connaissances à l'Institut de tourisme et d'hôtellerie du Québec et à l'Institut d'art culinaire. Il a aussi participé au livre anglais des chefs des restaurants et hôtels Relais & Châteaux d'Amérique du Nord. On reconnaît un peu partout la réussite de ce grand chef. Le Toqué ! a été consacré meilleur restaurant Debeur de l'année 2005 et les associations des automobilistes CAA et AAA lui ont décerné leur plus haute distinction, lui accordant 5 Diamants. Le restaurant est devenu membre des Relais Gourmands de la chaîne Relais & Châteaux en 2006. Trois ans plus tard, Normand Laprise a reçu la plus haute distinction accordée par le gouvernement provincial en devenant Chevalier de l'Ordre national du Québec.

CHARLES
ANTOINE
CRÊTE

Endives aux agrumes

ET CARAMEL DE PAMPLEMOUSSE

POUR :	TEMPS DE PRÉPARATION :	TEMPS DE CUISSON :
4 PERSONNES	10 MINUTES	45 MINUTES

CARAMEL DE PAMPLEMOUSSE

5 pamplemousses
1 c. à s. (15 ml) de miel

1 Récupérer et filtrer le jus de pamplemousse, afin d'en obtenir 2 tasses (500 ml).

2 Dans une petite casserole, mélanger le miel et le jus de pamplemousse. Porter à ébullition, puis diminuer le feu et faire réduire pendant environ 45 minutes, jusqu'à l'obtention d'une consistance de caramel.

3 Placer au frais immédiatement et réserver jusqu'au service.

VINAIGRETTE

½ échalote française
1 tasse (250 ml) d'huile d'olive
⅕ tasse (50 ml) de ketchup
1 c. à s. (15 ml) de vinaigre blanc
Tabasco, au goût
Sauce Worcestershire, au goût

1 Hacher l'échalote.

2 Dans un bol, bien mélanger tous les ingrédients et réserver.

ENDIVES

4 endives blanches
4 endives rouges
2 tasses (500 ml) de crème à fouetter 35 %
⅖ tasse (100 ml) d'huile d'olive
2 oranges
2 citrons
1 pamplemousse
¼ tasse (60 ml) de brandy
Sel et poivre
Poudre d'ail

1 Détailler les oranges, les citrons et le pamplemousse en suprêmes. Réserver.

2 Fouetter la crème.

3 Mélanger ensuite la crème fouettée avec l'huile d'olive. Assaisonner, au goût.

4 Détacher les feuilles des endives et les faire revenir durant 30 secondes dans une grande poêle, à feu vif, avec le Brandy.

5 Servir les endives immédiatement avec un peu de crème fouettée, les suprêmes d'agrume, quelques cuillérées de vinaigrette et le caramel. Décorer de poudre d'ail.

Chips de Kale

ET POUDRE DE MAÏS SOUFFLÉ

POUR :	TEMPS DE PRÉPARATION :	TEMPS DE CUISSON :
4 PERSONNES	5 MINUTES	30 MINUTES

INGRÉDIENTS

1 botte de kale
⅕ tasse (50 ml) d'huile d'olive
1 sachet de maïs soufflé du commerce
sel

1 Détailler le kale en feuilles et les étaler sur une grande plaque allant au four.

2 Badigeonner les feuilles de kale d'huile d'olive et les assaisonner de sel, au goût.

3 Faire sécher au four à 250 °F de 25 à 30 minutes, jusqu'à ce que les feuilles soient croustillantes. Retourner à mi-cuisson.

4 Faire éclater le maïs du commerce, selon les directives inscrites sur son emballage.

5 Au robot culinaire, broyer le maïs soufflé.

6 Décorer généreusement les chips de kale avec le maïs soufflé et servir immédiatement.

Étagé de betteraves

POUR :	TEMPS DE PRÉPARATION :	TEMPS DE CUISSON :
4 PERSONNES	10 MINUTES	30 MINUTES

CARAMEL

3	betteraves
1 c. à thé (5 ml)	de miel

1 Extraire le jus des trois betteraves.

2 Dans une petite casserole, mélanger le miel et le jus de betterave. Porter à ébullition, diminuer le feu et faire réduire de 15 à 20 minutes, jusqu'à l'obtention d'une consistance de caramel.

3 Placer au frais immédiatement et réserver jusqu'au service.

ÉTAGÉ DE BETTERAVES

6	betteraves rouges
2 tasses (500 ml)	de crème à fouetter 35 %
⅓ tasse (80 ml)	d'huile d'olive
1	baguette de pain
⅓ tasse (80 ml)	de ciboulette fraîche
⅓ tasse (80 ml)	d'aneth frais
	Truffe ou salsa de truffe
	Parmesan, au goût

1 Porter une grande casserole d'eau à ébullition et y faire cuire les betteraves pendant environ 30 minutes, jusqu'à ce qu'elles soient tendres. Les égoutter et les laisser refroidir.

2 Pendant ce temps, couper la baguette de pain en fines tranches et les badigeonner d'huile d'olive. Faire cuire au four à 350 °F durant une dizaine de minutes, jusqu'à ce qu'elles soient croustillantes.

3 Fouetter la crème.

4 Mélanger la crème fouettée avec quelques copeaux de truffe.

5 Éplucher les betteraves et les couper en fines tranches.

6 Dans des assiettes individuelles, déposer une tranche de betterave, un peu de crème fouettée, un petit croûton et quelques branches d'aneth et de ciboulette. Répéter cette opération quelques fois pour former l'étagé.

7 Décorer de caramel de betterave, d'huile d'olive de bonne qualité et de copeaux de parmesan.

MARIE-FLEUR ST-PIERRE

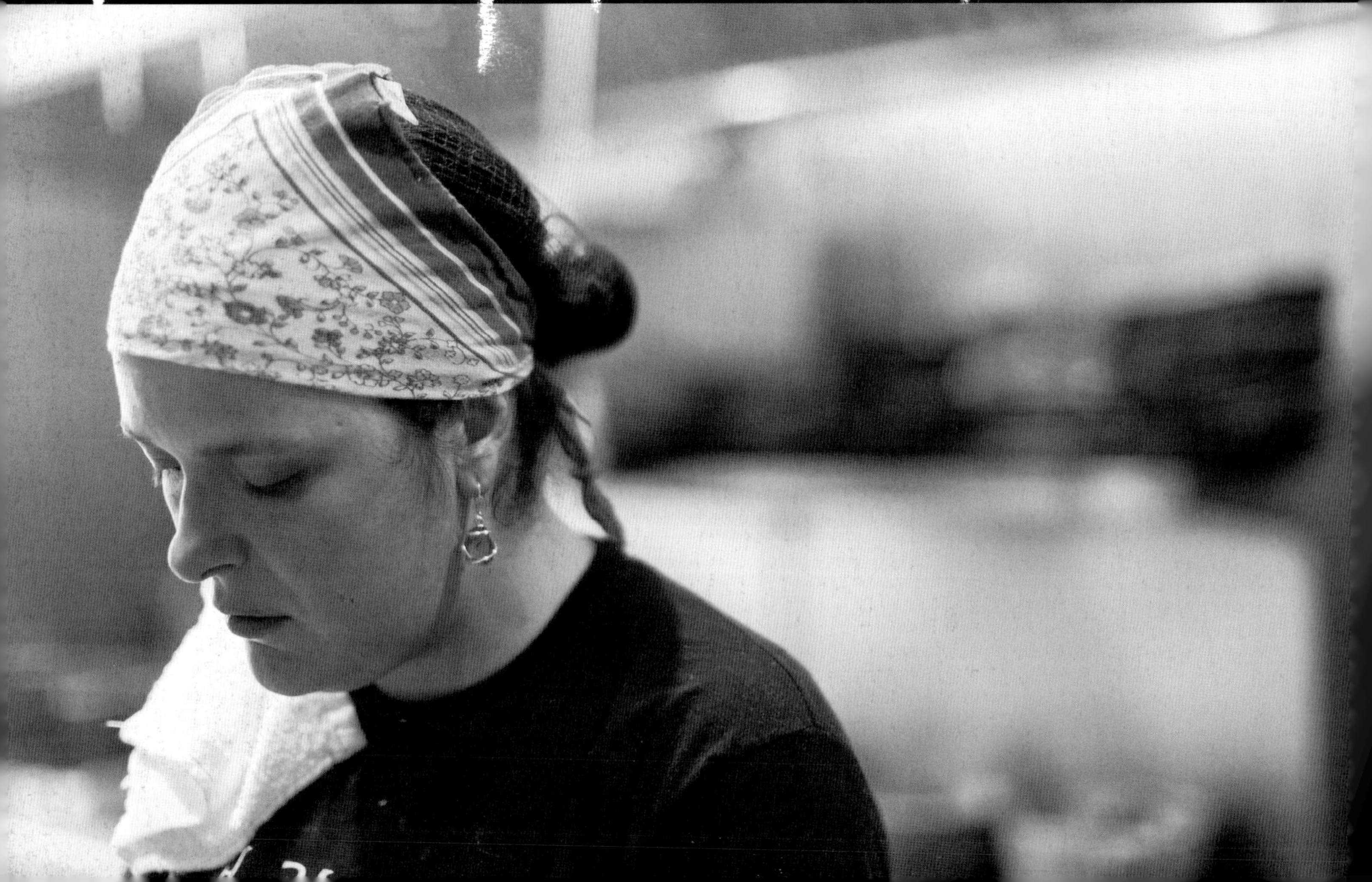

TAPEO
BAR À TAPAS

511, rue Villeray, Montreal (Québec) H2R 1H5   514 495-1999   www.restotapeo.com

Depuis 2004 déjà, Marie-Fleur St-Pierre fait office de chef de cuisine du restaurant Tapeo, un bar à tapas espagnol du quartier Villeray à Montréal, toujours bondé, où la chef cultive l'art de transformer et marier avec délicatesse et simplicité des ingrédients, en un tout beaucoup plus grand que leur somme. Elle offre aujourd'hui une cuisine chaleureuse, authentique, ensoleillée, simple, rustique, d'inspiration et d'influence espagnoles, préparée à partir de produits du Québec et de quelques importations méditerranéennes, comme le vinaigre de xérès, le jambon Serrano et le fromage Manchego. Fidèle à la cuisine hispanique, la jeune chef s'amuse à créer ses plats à partir d'aliments de tous les jours, mais frais et de grande qualité, pour en faire de petites bouchées très savoureuses, en plus de créer des alliances inusitées et des présentations inattendues. Dans les plats qu'elle prépare, elle met à l'honneur les poissons, les fruits de mer, et le lard, qui s'avère également être son péché mignon.

Marie-Fleur a d'abord poursuivi ses études culinaires en travaillant auprès de grands chefs québécois, en œuvrant notamment au restaurant Les Caprices de Nicolas. Lors de ses années d'apprentissage au chic restaurant portugais Ferreira Café, elle s'est découvert une réelle passion pour la gastronomie ibérique et son esprit de convivialité et de plaisir. Bien qu'elle n'ait jamais mis les pieds en Espagne, elle admet avoir acheté et lu tout ce qui est disponible sur cette cuisine et cette culture, ce qui fait d'elle une autodidacte de la cuisine hispanique, qui est devenue sa grande spécialité. Encensé par la critique, Tapeo est aujourd'hui l'un des meilleurs endroits à Montréal pour découvrir ces petits plats hispaniques, le tout rehaussé d'une carte de vins exclusivement espagnols. Marie-Fleur donne également des ateliers de cuisine à Montréal, aux Touilleurs et à la Quincaillerie Dante. ¡Buen provecho!

Chèvre chaud

AUX CHANTERELLES DU QUÉBEC, VINAIGRETTE AUX NOIX DE GRENOBLE

POUR : 4 PERSONNES	TEMPS DE PRÉPARATION : 10 MINUTES	TEMPS DE CUISSON : 25 MINUTES

INGRÉDIENTS

1 tasse (200 g)	de fromage de chèvre frais
8	chanterelles de grosseur moyenne
1 c. à s. (15 ml)	de beurre
1	branche de thym frais
⅓ tasse (80 ml)	de farine
2	œufs
⅓ tasse (80 ml)	de chapelure
⅓ tasse (80 ml)	de noix de Grenoble
2	d'échalotes françaises
¼ tasse (60 ml)	de vinaigre de xérès
⅕ tasse (50 ml)	d'huile d'olive
1 c. à s. (15 ml)	d'estragon frais
	Huile à friture
	Sel et poivre, au goût

1 Tempérer le fromage de chèvre environ 30 minutes avant de commencer la recette.

2 Couper les chanterelles en petits cubes. Dans une poêle, à feu moyen, faire mousser le beurre et faire sauter les chanterelles avec le thym de 2 à 3 minutes. Saler et poivrer, au goût. Réserver à la température de la pièce.

3 Dans un bol, mélanger délicatement le fromage de chèvre avec les chanterelles et le thym. Faire quatre boules de grosseur égale.

4 Tremper chaque boule dans la farine, l'œuf battu et la chapelure alternativement. Réserver au frais.

5 Préchauffer le four à 300 °F. Sur une plaque à pâtisserie ou une assiette d'aluminium, faire chauffer les noix de Grenoble pendant 10 minutes au four.

6 Ciseler l'échalote française. Dans une petite casserole, incorporer l'échalote ciselée et le vinaigre de xérès. Faire chauffer à feu moyen, de 4 à 5 minutes, et réduire le liquide à sec. Réserver au frais.

7 Faire frire à l'huile chaude les boules de fromage de chèvre, de 3 à 5 minutes, le temps qu'elles soient dorées et croquantes.

8 Pendant ce temps, mélanger dans un bol les échalotes, les noix de Grenoble, l'huile d'olive et l'estragon. Assaisonner au goût.

9 Dresser les boules de chèvre chaud dans des bols creux ou des assiettes de service, et garnir de la vinaigrette aux noix de Grenoble.

Paëlla

AUX TROIS HARICOTS, PAPRIKA FUMÉ ET TOMATES CONFITES

POUR : 4 PERSONNES	TEMPS DE PRÉPARATION : 10 MINUTES	TEMPS DE CUISSON : 30 MINUTES	TEMPS D'ATTENTE : 2 HEURES

TOMATES CONFITES

4	tomates italiennes
1 c. à thé (5 ml)	de sucre
½ c. à thé (2,5 ml)	de sel
1	gousse d'ail
2 c. à thé (10 ml)	de thym frais

1 Couper les tomates en deux et les épépiner. Les déposer dans un bol.

2 Ajouter le sel, le sucre, l'ail haché et le thym frais. Bien mélanger.

3 Sur une plaque à cuisson, étendre les tomates, la peau vers le haut, et les faire cuire 2 heures au four à 200 °F. Réserver et servir sur la paëlla.

PAËLLA

1	petit oignon
⅓ tasse (50 ml)	d'huile d'olive
¼ c. à thé (1 ml)	de safran
1 tasse (250 ml)	de riz
⅓ tasse (80 ml)	de pois chiches en conserve
⅓ tasse (80 ml)	de haricots romesco frais
2 tasses (500 ml)	de bouillon de légumes
1 tasse (250 ml)	de haricots verts plats
1 c. à thé	de paprika fumé
1	citron
¼ tasse (60 ml)	de persil frais
	Sel et poivre, au goût

1 Couper l'oignon en brunoise (petits dés). Faire chauffer l'huile d'olive à feu moyen dans une grande poêle et faire revenir l'oignon de 5 à 6 minutes.

2 Ajouter le riz, le safran, les pois chiches et les haricots romesco. Ajouter le sel et le poivre, au goût.

3 Ajouter le bouillon de légumes et laisser cuire à feu doux pendant 20 minutes, jusqu'à ce que le riz soit *al dente* et qu'il reste un peu de bouillon.

4 Ajouter les haricots verts plats et laisser cuire deux minutes supplémentaires. Rectifier l'assaisonnement.

5 En guise de finition, ajouter le paprika fumé, le persil haché et un peu d'huile d'olive de bonne qualité. Dresser dans une grande assiette familiale et garnir de tomates confites et de quartiers de citron.

Salade Piquillo

CROÛTONS À L'AIL ET CRÈME FOUETTÉE À L'OIGNON DOUX

POUR :	TEMPS DE PRÉPARATION :	TEMPS DE CUISSON :	TEMPS D'ATTENTE :
4 PERSONNES	10 MINUTES	30 MINUTES	4 À 24 HEURES

SALADE

8 poivrons Piquillo

1 gousse d'ail

1 tasse (250 ml) de petits morceaux de pain baguette

½ tasse (125 ml) de feuilles de céleri

1 c. à s. (15 ml) de câpres

1 c. à s. (15 ml) +⅓ tasse (50 ml) d'huile d'olive

1 c. à s. (15 ml) de vinaigre de xérès

Sel et poivre, au goût

1 Hacher finement l'ail. Dans un bol, mélanger les petits morceaux de pain baguette avec la cuillérée d'huile d'olive et l'ail haché. Ajouter le sel et le poivre, au goût.

2 Préchauffer le four à 300 °F. Sur une plaque à pâtisseries ou une assiette d'aluminium, faire chauffer les morceaux de pain pendant 10 minutes au four, jusqu'à ce qu'ils soient dorés.

3 Couper les piquillos en 4 et ciseler les feuilles de céleri.

4 Dans un grand bol ou un saladier, mélanger les poivrons piquillos, les feuilles de céleri, les câpres, les croutons, l'huile d'olive et le vinaigre de xérès. Ajouter du sel et du poivre, au goût.

5 Dresser la salade dans quatre assiettes et garnir d'une généreuse cuillerée de crème fouettée à l'oignon doux.

CRÈME FOUETTÉE À L'OIGNON DOUX

1 tasse (250 ml) de crème à fouetter 35 %

1 petit oignon doux (Vidalia)

Sel et poivre, au goût

1 Couper l'oignon en quartiers. Dans une petite casserole, incorporer l'oignon et la crème. Porter à ébullition et laisser infuser 30 minutes.

2 Transférer la crème dans un bol ou un contenant hermétique, et laisser infuser pendant 24 heures au réfrigérateur.

3 Le lendemain, passer la crème au tamis.

4 Fouetter, à la main ou au batteur, jusqu'à l'obtention de pics mous dans la crème. Réserver au frais.

JEAN-
FRANÇOIS
GIRARD

L'ÉCHAUDÉ

73, rue Sault-au-Matelot, Vieux-Québec (Québec) G1K 3Y9   418 692-1299   www.echaude.com

Jean-François Girard est le chef et associé de L'Échaudé, inauguré dans le Vieux-Port de Québec en 1984. Copropriété du restaurateur Robert Plamondon, l'établissement nous plonge dans une ambiance sympathique de brasserie parisienne classique. Cinq énormes miroirs couvrent les murs, agrandissant l'espace à l'infini. À L'Échaudé, on donne dans la fine cuisine de bistro : des produits frais intégrés dans des compositions simples. Le chef Girard prend plaisir à transformer les ingrédients en jouant avec les textures et les saveurs, pour laisser la nature s'exprimer dans ses plats. M. Plamondon tient le rôle du sommelier, il exploite ses talents de dégustateur chevronné afin de produire une carte des vins distinguée comprenant des cuvées provenant d'un peu partout, de l'Italie à la Californie, en passant par la France et l'Espagne.

C'est alors qu'il est tout jeune que Jean-François Girard fait ses premiers pas en cuisine en aidant sa mère. De 1990 à 1993, il suit des cours de cuisine à l'École hôtelière de la Capitale. Au cours de ses études, il apprend les principes de la qualité et de la simplicité chez Serge Bruyère. Par la suite, il travaille chez Laurie Raphaël à Québec pendant six ans, avant de devenir chef au restaurant Le Sainte-Victoire. En 2003, il entre à La Closerie ; deux ans plus tard, il devient le chef exécutif de cet établissement. En 2004, il prend les commandes de la cuisine de L'Échaudé et, six ans plus tard, il en devient copropriétaire. Les mentions et les critiques de l'établissement brillent dans les journaux majeurs d'Amérique du Nord et les guides touristiques ne tarissent pas d'éloges, le décrivant comme un classique gastronomique de la Vieille Capitale.

Blinis d'épinards

AUX POIVRONS ET ŒUFS POCHÉS, SAUCE AU FROMAGE DE CHÈVRE

POUR : 4 PERSONNES	TEMPS DE PRÉPARATION : 15 MINUTES	TEMPS DE CUISSON : 30 MINUTES

BLINIS

1 œuf
3 tasses (150 g) d'épinards frais bien tassés
1 tasse (250 ml) de farine
1 tasse (250 ml) de farine de sarrasin
1 ½ (375 ml) de lait
2 c. à s. (30 ml) de levure artificielle
3 c. à s. (45 ml) d'huile d'olive
Sel et poivre, au goût

1 Séparer le blanc du jaune d'œuf. Réserver séparément.

2 Au robot culinaire, réduire l'épinard en purée.

3 Battre les blancs en neige.

4 Dans un grand bol, incorporer les farines, la levure artificielle, la purée d'épinard, le lait, le jaune d'œuf, ainsi que le blanc d'œuf fouetté. Assaisonner au goût.

5 Dans une poêle, faire chauffer un peu d'huile d'olive à feu moyen-élevé. Incorporer une louche du mélange à blinis et cuire de 2 à 3 minutes de chaque côté, comme une crêpe. Répéter cette opération en ajoutant un peu d'huile entre chaque blini. Réserver au four à 200 °F.

SAUCE AU FROMAGE

⅘ tasse (200 ml) de vin blanc
1 ⅕ tasse (300 ml) de crème 35 %
2 échalotes françaises
½ tasse (100 g) de fromage de chèvre
Sel et poivre, au goût

1 Hacher les échalotes.

2 Déposer les échalotes dans une petite casserole avec le vin blanc. Faire chauffer pendant 10 minutes à feu moyen-élevé, le temps que le vin réduise de moitié.

3 Incorporer la crème. Porter à ébullition.

4 Ajouter le fromage. Bien mélanger, jusqu'à ce que le fromage soit fondu.

5 Assaisonner au goût. Réserver.

FRITES

2 pommes de terre
Huile de canola
pour la friture
Fleur de sel

1 Tailler les pommes de terre en juliennes.

2 Dans une grande poêle ou à la friteuse, faire chauffer l'huile de canola à feu vif. Incorporer les juliennes de pomme de terre et les faire frire de 7 à 8 minutes en brassant occasionnellement, jusqu'à ce qu'elles soient dorées.

3 Les déposer sur du papier absorbant et les saupoudrer immédiatement de fleur de sel. Réserver.

POIVRONS

1 poivron vert
1 poivron rouge
2 branches de thym frais
1 c. à s. (15 ml) d'huile d'olive
Sel et poivre, au goût

1 Couper les poivrons en petits dés.

2 Dans une poêle, faire chauffer l'huile d'olive à feu moyen.

3 Incorporer les dés de poivrons et le thym et les faire sauter durant 5 minutes. Assaisonner au goût et réserver.

ŒUFS POCHÉS

4 œufs
1 ½ litre (1500 ml) d'eau
½ tasse (125 ml) de vinaigre

1 Verser l'eau et le vinaigre dans une grande casserole. Porter à ébullition.

2 Casser délicatement les œufs dans l'eau bouillante et les laisser cuire de 4 à 5 minutes.

3 Égoutter.

ASSEMBLAGE

1 Déposer un blini au centre d'une assiette.

2 Ajouter un peu de poivrons en dés et un œuf poché.

3 Terminer avec les frites de pomme de terre et la sauce au fromage de chèvre.

SUGGESTION DE LA SOMMELIÈRE

**Querciabella
Maremma Toscana IGT
Mongrana (Italie)**

Voici un plat qui pourrait être accompagné tant avec du blanc, du rosé, que du rouge. C'est la présence du poivron rouge qui fait pencher mon harmonie vers un rouge. Il devra par contre avoir des tanins bien fondus et une certaine fraicheur si on ne veut pas qu'il domine le plat. J'ai ici arrêté mon choix sur le Mongrana de Querciabella. Ce Mongrana est à base de sangiovese. Il est sans lourdeur et le fruit y possède une belle pureté.

Alternative : un valpolicella ou un rosé.

CODE SAQ 1192183 - 19,95 $

Couscous tiède

DE ROQUETTE ET TOMATES CERISE, SAUCE AUX POIVRONS FAÇON ROUILLE

POUR :	TEMPS DE PRÉPARATION :	TEMPS DE CUISSON :
4 PERSONNES	15 MINUTES	20 MINUTES

ROUILLE DE POIVRONS

1 poivron rouge
1 gousse d'ail
1 jaune d'œuf
1 c. à thé (5 ml) de sauce aux piments forts
1 pincée de safran
1 c. à soupe (15 ml)
+ 1⅓ tasse (300 ml) d'huile d'olive

1 Couper grossièrement le poivron.

2 Dans une poêle, faire chauffer la cuillérée d'huile d'olive à feu moyen-élevé. Incorporer le poivron et faire sauter durant 4 minutes.

3 Ajouter l'ail haché et laisser cuire 1 minute supplémentaire.

4 Au mélangeur électrique, réduire le poivron et l'ail en purée.

5 Ajouter le jaune d'œuf, la sauce aux piments forts et le safran. Mélanger.

6 Tout en continuant de mélanger, ajouter l'huile d'olive en filet.

7 Réserver et servir en accompagnement au couscous.

COUSCOUS

2 tasses (300 g) de couscous
2 tasses (500 ml) d'eau
1 tasse (250 ml) de courge Butternut
1 oignon rouge
2 tasses (500 ml) de roquette fraîche
20 petites tomates cerise
½ tasse (100 g) de fromage féta
Le zeste de 1 citron
2 c. à s. (30 ml)
+ ½ tasse (125 ml) d'huile d'olive
Sel et poivre, au goût

1 Dans une casserole, porter l'eau à ébullition.

2 Retirer du feu et incorporer immédiatement le couscous. Bien le mélanger et l'égrainer à l'aide d'une fourchette. Réserver au frais.

3 Couper l'oignon rouge et la courge Butternut en brunoise (petits dés).

4 Dans une poêle, faire chauffer les 2 cuillérées d'huile d'olive à feu moyen-élevé. Incorporer l'oignon et la courge et les faire sauter de 5 à 6 minutes. Réserver.

5 Tailler le fromage féta en cubes, et couper les tomates en deux.

6 Dans un grand bol à salade, incorporer le couscous tiède, la roquette, les tomates, le féta, le zeste de citron, les oignons et la courge. Ajouter l'huile d'olive et mélanger délicatement.

7 Ajouter les herbes fraîches, le sel et le poivre, au goût. Servir avec la rouille de poivrons.

BISTRO COCAGNE

3842, rue Saint-Denis, Montréal (Québec) H2W 2M2 · 514 286-0700 · www.bistro-cocagne.com

Depuis 2004, Alexandre Loiseau est copropriétaire et chef du Bistro Cocagne, bien installé sur la rue St-Denis, à Montréal. Le décor y est sans prétention et sobre. Les tables y sont bien dressées ; un complément simple au plaisir gustatif. Le chef Loiseau œuvre dans sa vaste cuisine, apprêtant à la manière française de ravissants plats inspirés de la richesse du terroir québécois. Son choix de produits, sans compromis, donne, après transformation, des œuvres qui accompagnent avec brio la carte des vins proposés. Combinant soigneusement les saveurs et les textures, les recettes de M. Loiseau, qui ne copinent pas avec l'excentricité, sont comme des éloges à la simplicité. Sa devise en cuisine : composer des mets allant chercher un maximum de saveurs avec le moins d'éléments possible dans l'assiette. Le nom du restaurant fait référence à un lieu imaginaire où l'abondance est synonyme de réjouissance.

Alexandre Loiseau a découvert sa passion pour la cuisine lorsqu'il a occupé son premier emploi comme plongeur dans un restaurant à déjeuners de Mirabel. Il a par la suite assisté les cuisiniers pour de petites tâches et c'est à ce moment qu'il a eu la piqûre. Après avoir complété un diplôme d'études professionnelles en cuisine à Deux-Montagnes, suivre les cours à l'Institut de tourisme et d'hôtellerie du Québec s'est avéré comme la suite naturelle et logique de son parcours. La liste des autres étapes de sa formation est aussi longue qu'impressionnante : chef du garde-manger au Toqué !, alors qu'il était situé sur la rue St-Denis, où se trouve actuellement le Bistro Cocagne ; un séjour de deux ans et demi comme chef au restaurant La Bastide ; des expériences comme sous-chef Aux Caprices de Nicolas, sous la direction de Stelio Perombelon, au restaurant Globe auprès de David McMillan et à La Chronique, en plus d'un stage chez Bernard Loiseau (sans lien de parenté !) en France. Le chef Loiseau travaille également avec l'organisme La Tablée des chefs et donne des cours de cuisine de base à des jeunes issus de milieux défavorisés.

ALEXANDRE LOISEAU

Lait de maïs

AU POIVRON GRILLÉ ET À L'HUILE DE BASILIC

POUR :	TEMPS DE PRÉPARATION :	TEMPS DE CUISSON :	TEMPS D'ATTENTE :
4 PERSONNES	15 MINUTES	15 MINUTES	60 MINUTES

LAIT DE MAÏS

4 tasses (1 L) de maïs en grain
1 petit oignon
1 petite gousse d'ail
2 c. à s. (30 ml) de beurre
4 tasses (1 L) de lait
1 poivron grillé
Sel et poivre, au goût

1 Couper l'oignon en brunoise (petits dés) et hacher l'ail.

2 Dans une poêle, faire fondre le beurre à feu moyen-élevé. Ajouter les oignons, l'ail et le maïs, et les faire sauter de 4 à 5 minutes. Assaisonner au goût.

3 Ajouter le lait et porter à ébullition. Laisser bouillir pendant 3 minutes.

4 Passer au mélangeur, jusqu'à l'obtention d'un mélange homogène.

5 Passer ensuite au tamis, afin de retirer les grumeaux restants.

6 Tailler le poivron grillé en petits dés.

7 Servir le lait de maïs dans des bols individuels et parsemer de dés de poivron. Décorer d'un trait d'huile au basilic.

HUILE AU BASILIC

1 tasse (250 ml) de basilic frais
⅕ tasse (50 ml) d'huile d'olive

1 Passer le basilic et l'huile d'olive au mélangeur. Laisser reposer une heure.

Gratin de gnocchis

À LA RICOTTA, PURÉE D'OLIVES KALAMATA ET PLEUROTES ÉRIGÉS

POUR : 4 PERSONNES	TEMPS DE PRÉPARATION : 30 MINUTES	TEMPS DE CUISSON : 15 MINUTES	TEMPS D'ATTENTE : 60 MINUTES

PURÉE D'OLIVES

¼ tasse (60 ml) d'olives Kalamata
1 c. à s. (15 ml) d'huile d'olive

1 Au mélangeur électrique, incorporer tous les ingrédients pour obtenir une purée lisse. Réserver.

CHAMPIGNONS

4 pleurotes
1 gousse d'ail
2 échalotes
2 c. à s. (30 ml) de vin blanc
½ tasse (125 ml) de crème 35 %
2 c. à s. (30 ml) de beurre
Sel et poivre, au goût

1 Trancher finement les champignons et l'ail.

2 Ciseler les échalotes.

3 Dans une poêle, faire fondre le beurre à feu moyen-élevé. Ajouter les champignons, l'ail et l'échalote et les faire revenir pendant 1 minute.

4 Déglacer au vin blanc.

5 Ajouter la purée d'olives et la crème.

6 Porter à ébullition et laisser réduire durant 2 minutes.

7 Rectifier l'assaisonnement et servir avec les gnocchis.

GNOCCHIS

1 tasse (250 g) de fromage ricotta frais
1 jaune d'œuf
1 tasse (115 g) de farine
½ tasse (50 g) de parmesan râpé
½ c. à thé (2,5 ml)
+ 1 c. à thé (5 ml) de sel
1 pincée de poivre
1 c. à s. (15 ml) de beurre
½ tasse (125 ml) de cheddar fort
¼ tasse (60 ml) de ciboulette fraîche

1 Dans un grand bol ou au batteur à socle, bien mélanger le fromage ricotta, le jaune d'œuf, le fromage parmesan, la farine, la demi-cuillérée à thé de sel et le poivre. Pétrir pendant une bonne minute et former, à la main, une belle pâte ferme.

2 Laisser reposer pendant 20 minutes.

3 Sur une grande surface de travail enfarinée, couper la pâte en 6. À la main, rouler un premier morceau afin de lui donner la forme d'un serpent d'un pouce de circonférence. Toujours bien fariner la pâte si elle devient collante. Au couteau, détailler délicatement une vingtaine de petites pièces d'un centimètre de longueur. Déposer ces pièces sur une grande plaque farinée. Répéter ces opérations avec les autres morceaux de pâte.

4 Congeler les gnocchis pendant au moins une heure.

5 Porter une grande casserole remplie d'eau à ébullition. Ajouter la cuillérée de sel et incorporer les gnocchis, en prenant bien soin de ne pas stopper l'ébullition. Les gnocchis sont suffisamment blanchis lorsqu'ils remontent à la surface, 5 à 6 minutes plus tard.

6 Dans une grande poêle, déposer le beurre et le faire fondre à feu moyen. Incorporer les gnocchis et les faire dorer doucement, de 2 à 3 minutes.

7 Ajouter la sauce aux champignons et aux olives dans la casserole.

8 Râper le fromage cheddar, le parsemer sur les gnocchis et faire griller au four de 1 à 2 minutes, le temps que le fromage soit fondu et doré. Décorer de ciboulette hachée et servir immédiatement.

SUGGESTION DE LA SOMMELIÈRE

**Sierra Cantabria
Rioja Reserva (Espagne)**

Ce gratin de gnocchis est définitivement un plat d'hiver. Il est riche et savoureux et saura contenter même les plus gourmands autour de la table. C'est ici la purée d'olive qui domine le plat et qui m'amène à vous proposer une harmonie en Rioja. La maison Sierra Cantabria offre un vin en dominance de tempranillo aux arômes de prune, de cacao et de terre. Son boisé est présent, mais sans excès, et vient relever les notes d'olives Kalamata avec brio.

Alternative : un vin de La Rioja pas trop puissant.

CODE SAQ 10455463 - 27,10 $

GIOVANNI
APOLLO &
JEAN-MICHEL
BARDET

APOLLO & APOLLO GLOBE

6389, boulevard Saint-Laurent, Montréal (Québec) H2S 3C3
514 274-0153
www.apolloglobe.com

APOLLO CONCEPT

6422, boulevard Saint-Laurent, Montréal (Québec) H2S 3C4
514 276-0444
www.apolloglobe.com

Giovanni Apollo, chef et propriétaire du restaurant Apollo Concept, situé à l'entrée de la Petite Italie sur le boulevard Saint-Laurent à Montréal, est considéré comme l'un des pionniers de la cuisine moléculaire au Québec. Son restaurant, où l'on peut observer la cuisine depuis la salle à manger par une impressionnante paroi vitrée, est un véritable laboratoire et un espace de création où sont concoctés les repas servis sur place ou à emporter et ceux que l'on peut déguster en faisant appel aux services de traiteur du chef. Dans sa quête constante de nouvelles textures et saveurs, Giovanni s'inspire des recherches en gastronomie moléculaire et de sa passion pour la science. Pour développer son menu, en constante évolution, il privilégie des thématiques culinaires ou prépare des aliments qu'il décline en plusieurs temps, en quatre ou cinq services, selon la créativité et l'inspiration du moment, faisant varier tant le goût que la présentation, la texture, les couleurs et la forme des plats. Ce chef est de ceux dont la passion pour le métier est palpable et le concept de son restaurant est aussi unique qu'original.

Depuis maintenant plus de trois ans, Jean-Michel Bardet est le chef associé et le complice de Giovanni Apollo. Ils font la paire et dirigent ensemble les

cuisines des deux établissements. Le chef Bardet possède un curriculum vitae culinaire des plus impressionnants. Il a amorcé son parcours sur la Côte d'Azur, où il a œuvré pour la famille princière à Monaco, avant de faire un saut au Royal Yacht Club de Vancouver et au Claridge's de Londres. La poursuite de sa formation l'a ensuite conduit à aller parfaire son art dans divers restaurants étoilés Michelin d'Europe, tant à Paris qu'au Luxembourg et en Corse. Il s'est ensuite installé au Québec.

Originaire d'Italie, Giovanni Apollo a pour sa part toujours rêvé de cuisine. Son apprentissage culinaire a débuté auprès de son idole d'enfance, Paul Bocuse, qui devint son professeur durant près d'une décennie. Il quitte ensuite la France pour l'Asie, à la recherche de nouvelles inspirations. En tout et pour tout, il a cuisiné dans 22 pays, du Japon à l'Afrique en passant par les plus grandes tables françaises. Il s'est ensuite installé au Québec. Aujourd'hui homme d'affaires et chef renommé, il offre aussi des cours de cuisine pour les particuliers. Apollo est l'un des rares restaurants montréalais de très haute gastronomie où l'on peut apporter son vin. Le tire-bouchon appelle cependant une bouteille de grande qualité, pour ne pas trahir l'expérience culinaire élevée où nous convie le chef.

Superposition de melon d'eau

ET DE TOFU, TARTARE DE TOMATES ET GINGEMBRE

POUR :	TEMPS DE PRÉPARATION :	TEMPS D'ATTENTE :
4 PERSONNES	15 MINUTES	60 MINUTES

INGRÉDIENTS

1 melon d'eau

3 tomates

1 c. à s. (15 ml) de gingembre frais

1 c. à s. (15 ml) d'échalotes vertes

1 c. à s. (15 ml) de vinaigre de riz

2 c. à s. (30 ml) d'huile de sésame grillée

1 paquet de tofu ferme

Sel fumé, au goût

Poivre, au goût

1 Couper le melon d'eau de façon à obtenir 4 tranches de 3 cm sur 12 cm, et de 1 cm de hauteur.

2 Épépiner les tomates et les couper en petits dés. Tapisser le fond d'une passoire de papier absorbant et y déposer les dés de tomates. Placer la passoire au frais durant au moins 1 heure, idéalement 4 heures, le temps que le liquide des tomates soit absorbé.

3 Hacher finement le gingembre et ciseler les échalotes vertes.

4 Dans un bol, mélanger délicatement les dés de tomate, le gingembre, l'échalote, le vinaigre de riz, et l'huile de sésame grillée. Réserver au frais.

5 Couper le tofu en fines lamelles, de la même dimension que les tranches de melon.

6 Dans 4 assiettes de service, déposer le melon d'eau superposé de tofu, et parsemer de sel fumé. Surmonter le tout du tartare de tomates. Ajouter du poivre, au goût. Servir très frais.

Frites de panisse

ET COMPOTE DE TOMATES AU ROMARIN ET AUX OLIVES NOIRES

POUR :	TEMPS DE PRÉPARATION :	TEMPS D'ATTENTE :	TEMPS DE CUISSON :
4 PERSONNES	10 MINUTES	60 MINUTES	40 MINUTES

FRITES DE PANISSE

2 ½ tasses (625 ml) de farine de pois chiches
4 tasses (1 L) d'eau froide
⅓ tasse (80 ml) d'huile d'olive
1 c. à s. (15 ml) de gros sel
1 c. à thé (5 ml) de fleur de sel
Huile à friture
Poivre, au goût

1 Dans une casserole profonde, faire bouillir la moitié de l'eau avec le gros sel.

2 Pendant ce temps, dans un grand bol, mélanger petit à petit la farine de pois chiches et l'autre moitié de l'eau froide. Verser dans le bol l'eau bouillante et mélanger énergiquement.

3 Remettre la préparation homogène dans la casserole et faire cuire à feu doux, pendant 20 minutes, en remuant occasionnellement. Assaisonner au goût.

4 Retirer du feu. Au robot ou énergiquement à la main, ajouter tranquillement l'huile d'olive, en prenant bien soin de l'incorporer complètement à la préparation.

5 Verser le tout sur une grande plaque légèrement huilée. Bien étaler le mélange pour qu'il atteigne une épaisseur de 1 cm.

6 Réfrigérer au moins une heure, le temps que la préparation devienne bien ferme.

7 Couper ensuite la préparation en forme de grosses frites et faire frire à l'huile quelques minutes, le temps qu'elles soient bien dorées.

8 Déposer sur du papier absorbant et ajouter immédiatement la fleur de sel, au goût. Servir avec la compote de tomates.

COMPOTE DE TOMATES

1 gousse d'ail
1 branche de romarin frais
6 tomates
2 c. à s. (30 ml) d'huile d'olive
12 olives Kalamata
⅓ tasse (80 ml) d'eau fraîche
Sel et poivre, au goût

1 Hacher la gousse d'ail et le romarin frais.

2 Couper les olives noires en deux, épépiner les tomates et les couper en petits dés.

3 Dans une casserole, faire chauffer l'huile d'olive à feu moyen et faire revenir l'ail durant une minute.

4 Incorporer le romarin, les dés de tomates et l'eau fraîche.

5 Couvrir et cuire à feu doux en remuant occasionnellement pendant 30 minutes.

6 Ajouter les olives et poursuivre la cuisson à feu doux pendant 10 minutes.

SUGGESTION DE LA SOMMELIÈRE

**Ostertag
Pinot gris Fronholz
Alsace (France)**

Ce plat, où richesse et fraicheur se côtoient, commande un vin qui saura jouer sur ces deux aspects. Je vous propose ici un pinot gris d'Alsace avec une petite pointe de sucre résiduel qui ira taquiner la vanille du fenouil braisé. On cherchera du même coup un vin qui n'est pas trop lourd en bouche, afin d'épouser la salade fraîche. André Ostertag travaille la terre et le vin de façon biologique et son pinot gris Fronholz est sculpté pour développer son caractère et sa puissance sans exubérance.

Alternative : un autre pinot gris d'Alsace.

CODE SAQ 924977 - 37,75 $

Confit de fenouil

À LA VANILLE ET SALADE FRAÎCHE DE MENTHE ET DE FENOUIL

POUR : 4 PERSONNES	TEMPS DE PRÉPARATION : 10 MINUTES	TEMPS D'ATTENTE : 60 MINUTES

CONFIT DE FENOUIL

2 fenouils entiers
1 c. à s. (15 ml) de cassonade
2 c. à s. (30 ml) de vinaigre de pomme
4 tasses (1 L) de bouillon de légumes
1 gousse de vanille

1 Dans une casserole profonde, faire chauffer à feu moyen le vinaigre de pomme et la cassonade pendant deux minutes.

2 Couper les fenouils en deux dans le sens de la longueur et en retirer les fanes (le cœur). Déposer ensuite les fenouils dans la casserole, face plate vers le bas.

3 Ajouter le bouillon de légumes.

4 Couper la gousse de vanille en deux, dans le sens de la longueur. Déposer la gousse dans la casserole.

5 Couvrir et mettre au four à 300 °F. Laisser cuire pendant une heure, jusqu'à ce que les fenouils soient tendres.

6 Retirer délicatement les fenouils et réserver au frais.

7 À feu vif, porter le bouillon encore dans la casserole à ébullition, et laisser réduire de 10 à 15 minutes. Filtrer et réserver dans un saucier.

SALADE FRAÎCHE DE MENTHE ET DE FENOUIL

½ fenouil
1 c. à s. (15 ml) d'huile d'olive
Le jus d'un demi-citron
20 feuilles de menthe fraîches
Sel et poivre, au goût

1 Enlever la fane (le cœur) du fenouil et le couper en fines juliennes.

2 Dans un bol, mélanger les juliennes de fenouil, le jus de citron et l'huile d'olive. Assaisonner au goût.

3 Ajouter les feuilles de menthe et mélanger délicatement.

4 Servir la salade fraîche avec le fenouil confit. Arroser du jus de réduction.

JUNICHI
IKEMATSU

RESTAURANT JUN I

156, avenue Laurier Ouest, Montréal (Québec) H2T 2N7   514 276-5864   www.juni.ca

Junichi Ikematsu, mieux connu sous le nom de Jun I, chef et propriétaire du restaurant éponyme du boulevard Laurier Ouest à Montréal, est considéré comme l'un des plus grands chefs de cuisine asiatique de la métropole. À travers ses plats originaux et innovateurs, il fait montre d'un talent indiscutable en fusionnant la cuisine japonaise et la cuisine française, un concept unique en soi. La salle à manger de son restaurant du Mile-End permet à ses visiteurs de le voir préparer les plats et sushis en temps réel, ainsi que ses yanagis à la main, avec une technique et une créativité dignes des plus grands. Sa cuisine est élégante, exotique, séduisante et d'une fraîcheur inouïe, le chef ne jurant que par des ingrédients d'une qualité indiscutable. Junichi cuisine plusieurs poissons qu'on peine à trouver ailleurs, et il le fait avec doigté, finesse et délicatesse, signe d'une réelle expérience gastronomique nippone et de l'émerveillement constant qui l'accompagne.

Originaire de Kyoto au Japon, Junichi a d'abord été initié à la fine cuisine traditionnelle française dans un restaurant de son pays d'origine, avant de s'intéresser à la cuisine nippone. Depuis bientôt vingt ans il œuvre à Montréal, où il s'est bâti une solide réputation, notamment à titre de chef exécutif du restaurant Soto situé dans le Vieux-Montréal, avant de partir à l'aventure en ouvrant Jun I en 2005. Son restaurant est aujourd'hui considéré comme une destination gastronomique inévitable pour tout amoureux de sushis à la recherche d'une expérience culinaire qui dépasse largement l'idée qu'on se fait de cette spécialité nippone. Il propose une sélection exclusive de sakés, dont certains sont importés spécialement du Japon. Le décor de son restaurant est signé Jean-Pierre Viau, éminent décorateur d'intérieur québécois. Dans son établissement, tout comme dans sa cuisine, l'attention aux détails fait partie des mœurs du chef.

Yaki Yasaï

ET SAUCE YUZU-MISO

POUR :	TEMPS DE PRÉPARATION :	TEMPS DE CUISSON :	TEMPS D'ATTENTE :
4 PERSONNES	20 MINUTES	15 MINUTES	10 MINUTES

LÉGUMES MARINÉS

½ tasse (60 g) de poivrons rouges
½ tasse (60 g) de poivrons jaunes
1 aubergine asiatique
¾ tasse (60 g) de champignons shiitake
1 courgette
⅓ tasse (80 ml) de sauce soya
⅓ tasse (80 ml) de mirin
2 c. à s. (30 ml) de saké

1 Trancher les poivrons rouges, les poivrons jaunes, l'aubergine et les champignons en juliennes.

2 Trancher la courgette en 8 tranches dans le sens de la longueur.

3 Sur le barbecue ou la grille intérieure, faire griller tous les légumes de 2 à 3 minutes à feu élevé. Réserver.

4 Dans un grand bol, mélanger la sauce soya, le mirin et le saké. Incorporer les légumes grillés, bien mélanger et laisser mariner pendant 10 minutes.

5 Placer des juliennes de poivron, d'aubergine et de champignon sur une tranche de courgette et les y enrouler. Servir en entrée ou amuse-bouche avec la sauce yuzu-miso.

SAUCE YUZU-MISO

⅓ tasse (80 ml) de miso
½ tasse (125 ml) de sucre
⅓ tasse (80 ml) de saké
2 œufs
2 c. à s. (30 ml) de jus de yuzu

1 Dans une petite casserole, porter à ébullition le miso, le sucre et le saké.

2 Fermer le feu et laisser reposer durant 5 minutes. Incorporer les œufs battus.

3 Laisser refroidir 10 minutes avant le service.

Kinoko Chawan-mushi

POUR :	TEMPS DE PRÉPARATION :	TEMPS DE CUISSON :	TEMPS D'ATTENTE :
4 PERSONNES	5 MINUTES	20 MINUTES	15 MINUTES

INGRÉDIENTS

⅓ tasse (25 g) de champignons shiitake

¼ tasse (15 g) de champignons enoki

⅓ tasse (25 g) de pleurotes

1 c. à s. (15 ml) d'échalotes

2 ½ tasses (625 ml) d'eau

⅓ tasse (50 ml) de mirin

⅓ tasse (50 ml) de sauce soya

4 œufs

2 feuilles d'algue sèches (konbu)

1 Trancher les champignons en juliennes.

2 Dans une casserole, porter l'eau, le mirin et la sauce soya à ébullition, avec les champignons et les feuilles d'algues tranchées grossièrement en languettes. Laisser refroidir durant une quinzaine de minutes.

3 Battre les œufs et les incorporer dans la casserole.

4 Transvider la préparation dans quatre ramequins. Faire cuire dans un bain-marie au four à 350 °F pendant 15 minutes.

5 Servir immédiatement, en décorant d'échalotes ciselées.

Yasai sushi

POUR :
4 PERSONNES

TEMPS DE PRÉPARATION :
25 MINUTES

TEMPS DE CUISSON :
15 MINUTES

RIZ À SUSHI

2 tasses (320 g)	de riz à sushi
¼ tasse (60 ml)	de vinaigre de riz
1 c. à s. (15 ml)	de sel
⅕ de tasse (50 ml)	de sucre
1	feuille d'algue

1 Cuire le riz, selon les directives inscrites sur l'emballage. Le temps de cuisson et la quantité d'eau requise dépendent de la marque et du style de riz utilisé.

2 Incorporer ensuite le sucre, le sel et le vinaigre de riz. Bien mélanger.

3 À la main, faire une petite boule de riz (voir photo ci-contre) et y déposer des légumes, au choix.

4 Couper la feuille d'algue en fines languettes et les utiliser pour envelopper et attacher le riz et les légumes.

5 Servir avec de la sauce soya à sushi, du wasabi et du gingembre au goût.

LÉGUMES

1	poivron rouge
8	tomates cerise
8	champignons shiitake
8	pois mange-tout
8	mini-carottes
1	avocat
1 c. à s. (15 ml)	d'huile d'olive
	Sel, au goût

1 Porter une casserole remplie d'eau à ébullition. Ajouter généreusement du sel. Blanchir les pois mange-tout et les mini-carottes de 1 à 2 minutes. Retirer du feu et réserver.

2 Trancher le poivron rouge en huit morceaux. Dans une poêle, à feu moyen, chauffer l'huile d'olive et faire revenir les poivrons, les tomates coupées en deux et les champignons. Retirer du feu et réserver.

3 Trancher l'avocat en bâtonnets. Réserver.

LOUIS-
FRANÇOIS
MARCOTTE & ACOLYTES

RESTO LE LOCAL

740, rue William, Montréal (Québec) H3C 1N9
514 397-7737
www.resto-lelocal.com

RESTAURANT LE HANGAR

1011, rue Wellington, Montréal (Québec) H3C 1V3
514 878-2112
www.resto-lehangar.com

RESTAURANT SIMPLÉCHIC & SIMPLÉCHIC TRAITEUR

3610, rue Wellington, Verdun (Québec) H4G 1T6
514 768-4224
www.simplechic.ca

Jeune chef et entrepreneur prolifique, Louis-François Marcotte est une figure de proue de la nouvelle génération de cuisiniers. Són approche de la gastronomie est à la fois sans complexes, accessible, simple et mue par un sens aigu du raffinement et de l'élégance. Il est le chef proprié-taire du restaurant Simpléchic, depuis 2002, du Local, depuis l'été 2008, et du Hangar, depuis l'automne 2010. Ce dernier est situé dans un ancien entrepôt du quartier Griffintown. La cuisine ouverte y est disposée en deux lignes : l'une pour le service du restaurant et l'autre pour le Simpléchic Traiteur, où la chef Marie-Ève Collin dirige l'équipe. Pour sa part, le chef du restaurant, Mike Diamond, y prépare des plats d'inspiration italienne traditionnelle. Le menu propose des assiettes préparées en fonction du nombre de personnes qui veulent partager le même mets.

Pas très loin, dans le centre du Vieux-Montréal, se trouve Le Local. La salle est énorme et la terrasse, charmante. Dans cet ancien bureau d'architecte, le décor allie atmosphère bucolique et esprit contemporain. La cuisine ouverte permet aux convives d'admirer le chef Charles-Emmanuel Pariseau en train de préparer des œuvres d'inspiration bistro, modernisées à la sauce québécoise. Entre les deux restaurants se trouve le Simpléchic, rue Wellington, le plus intime des trois établissements. Le décor de cet ancien magasin est original et invitant. La cuisine est menée par le chef Cédric Deslandes. Il y compose des plats selon la fraî-cheur des arrivages du marché : quelques ingrédients simples s'addition-nent pour donner un résultat raffiné. Les quatre chefs et acolytes de Louis-François signent d'ailleurs les recettes des pages qui suivent. Élyse Lambert, collaboratrice au présent livre, élabore la carte des vins de tous ces établissements.

Louis-François Marcotte se distingue tôt dans sa jeune carrière. Lors de ses cours à l'Institut de tourisme et d'hôtellerie du Québec, il est recon-nu comme étant le meilleur cuisinier de sa classe. Exceptionnellement, c'est à 20 ans seulement qu'il devient propriétaire de son propre restau-rant et service de traiteur en fondant le Simpléchic. Depuis 2006, il anime sa propre émission de cuisine à Canal Vie. Il tient aussi une chro-nique culinaire hebdomadaire à l'antenne de Rythme FM. En 2007, il anime un documentaire à Canal Vie sur la présence de la malbouffe vendue aux élèves du secondaire dans les cafétérias scolaires. Il a aussi publié quatre livres de recettes, dont *Souvenirs : revisiter nos traditions*, pour lequel il a reçu deux prix du Gourmand World Cookbook Award en 2010. *Sauvage : Savourer la nature* a également reçu une distinction. Du coup, les deux livres se sont retrouvés en lice pour le Grand prix du meilleur livre de cuisine au monde.

Recette à la page suivante

Pâtes Farcies

PAR CHARLES-EMMANUEL
PARISEAU (LE LOCAL)

AUX CHAMPIGNONS ET FROMAGE, CONDIMENTS GRENOBLOISE ET FONDUE DE TOMATES

POUR :	TEMPS DE PRÉPARATION :	TEMPS DE CUISSON :	TEMPS D'ATTENTE :
4 PERSONNES	35 MINUTES	45 MINUTES	60 MINUTES

FARCE AUX CHAMPIGNONS

8 giroles
8 champignons shiitakes
1 gousse d'ail
1 c. à s. (15 ml) d'huile d'olive
6 c. à s. (90 ml) de fromage ricotta
2 c. à s. (30 ml) de parmesan râpé
2 tiges d'oseille émincées
4 tiges de ciboulette émincées
Fleur de sel et poivre,
au goût

1. Trancher grossièrement les giroles, les shiitakes et l'ail.

2. Dans une poêle, faire chauffer l'huile d'olive à feu élevé. Faire sauter les champignons et l'ail de 5 à 6 minutes. Retirer du feu et laisser reposer pendant 5 minutes.

3. Transférer les champignons et l'ail dans un bol et incorporer le fromage ricotta, le parmesan, l'oseille et la ciboulette.

4. Assaisonner au goût et réserver au frais.

PÂTES

4 pommes de terre
Yukon gold
1 œuf
1 jaune d'œuf
1 ½ tasse (375 ml) de farine
½ tasse (125 ml) de parmesan
1 c. à thé (5 ml) de sel
Sel et poivre, au goût

1. Sur une plaque, faire cuire les pommes de terre durant 45 minutes au four à 350 °F.

2. Au robot culinaire, réduire immédiatement les pommes de terre en purée.

3. Toujours au robot culinaire ou au batteur à socle, incorporer l'œuf, la farine et le fromage, de façon graduelle. Bien mélanger. Au besoin, ajouter un peu d'eau ou de farine supplémentaire.

4. Sur une surface de travail farinée, former une boule de pâte homogène.

5. Placer la pâte dans une pellicule de plastique et laisser reposer une heure au réfrigérateur.

6. Sur une surface de travail farinée, abaisser la pâte au rouleau jusqu'à ce qu'elle soit très mince. À l'emporte-pièce, détailler des disques d'environ 10 cm de diamètre.

7. Ajouter un peu de farce aux champignons au centre de chaque disque.

8. Fermer la pâte en la collant avec un peu de jaune d'œuf.

9. Porter une grande casserole d'eau à ébullition et ajouter la cuillérée à thé de sel. Incorporer les pâtes farcies et faire cuire pendant 2 minutes. Égoutter et réserver au frais.

TAPENADE

½ tasse (125 ml) de noix de pin
1 tasse (250 ml) d'olives Kalamata
dénoyautées
¼ tasse (60 ml) de câpres
⅖ tasse (100 ml) d'huile d'olive
Le zeste d'un citron

1. Au mélangeur électrique, incorporer tous les ingrédients et pulser jusqu'à obtention d'une tapenade homogène. Réserver au frais.

FONDUE DE TOMATES

10 tomates

2 tiges d'origan frais

1 petite gousse d'ail

⅕ tasse (50 ml) d'huile d'olive

2 c. à s. (30 ml) de beurre

¾ tasse (180 ml) de vin blanc

Fleur de sel et poivre, au goût

1 Épépiner et couper grossièrement les tomates.

2 À feu moyen, faire chauffer l'huile d'olive et le beurre dans une grande poêle profonde.

3 Incorporer les tomates, l'ail haché et l'origan frais. Laisser cuire 2 minutes.

4 Ajouter le vin blanc, couvrir et laisser cuire à feu doux durant 20 minutes. Retirer du feu et réserver.

CONDIMENTS GRENOBLOISE

2 échalotes

1 c. à s. (15 ml) de vinaigre de vin rouge

2 c. à s. (30 ml) de câpres

1 tasse (250 ml) de petits morceaux de pain baguette

3 c. à s. (45 ml) d'huile de pépins de raisin

1 c. à s. (15 ml) de beurre noisette

1 c. à s. (15 ml) + 2 c. à s. (30 ml) d'huile d'olive

1 citron

Fleur de sel et poivre, au goût

1 Ciseler les échalotes.

2 Dans une petite casserole, faire chauffer revenir durant quelques minutes, à feu moyen, l'échalote ciselée, les câpres et le vinaigre de vin rouge. Réduire à sec et réserver.

3 Dans une poêle, faire chauffer une cuillérée à soupe d'huile d'olive à feu moyen-élevé. Ajouter les morceaux de pain et les faire sauter de 3 à 4 minutes, jusqu'à ce qu'ils soient dorés et croustillants.

4 Dans un bol, mélanger l'huile de pépins de raisin, le beurre noisette, le zeste du citron et le reste de l'huile d'olive.

5 Quelques instants avant le service, trancher le citron en suprêmes, et l'ajouter à la vinaigrette.

6 Incorporer également la réduction d'échalotes et les morceaux de pain. Réserver.

ASSEMBLAGE

2 c. à s. (30 ml) de beurre

Fleur de sel

Quelques morceaux de carottes

1 Dans une grande poêle, faire fondre le beurre à feu moyen-élevé. Ajouter les pâtes farcies et les faire chauffer de 2 à 3 minutes, jusqu'à ce qu'elles soient légèrement dorées.

2 Servir immédiatement avec la fondue de tomates, la tapenade, ainsi que les condiments Grenobloise.

3 Ajouter un peu de fleurs de sel et quelques morceaux de carottes comme décoration.

SUGGESTION DE LA SOMMELIÈRE

Il Grillesino
Maremma Toscana IGT
Ciliegiolo (Italie)

Ce plat de pâtes est tout à fait original. Les ingrédients utilisés pour son élaboration étant délicats, je vous propose un accord de finesse avec un vin de la maison Grillesino. C'est avec le cépage peu connu qu'est le Ciliegiolo que je vous fais découvrir ce domaine. Le vin choisi est élégant, aux arômes de fraise des champs et de jeunes cerises. Il est friand et sans lourdeur, et saura accompagner les pâtes sans les dominer.

Alternative : un valpolicella.

CODE SAQ 10845146 - 16,15 $

**PAR CÉDRIC DESLANDES
(SIMPLÉCHIC)**

DE PORTOBELLOS AU MIGNERON DE CHARLEVOIX ET ROYALE DE POTIRON

POUR : 4 PERSONNES	TEMPS DE PRÉPARATION : 20 MINUTES	TEMPS DE CUISSON : 45 MINUTES	TEMPS D'ATTENTE : 30 MINUTES

PASTILLAS

4 gros champignons portobellos

1 oignon

1 gousse d'ail

2 c. à s. (30 ml) d'huile d'olive

6 feuilles de sauge

8 feuilles de pâte phyllo

½ tasse (125 ml) de beurre

4 tranches de Migneron de Charlevoix d'environ ¼ de pouce d'épaisseur

Sel et poivre, au goût

1 Nettoyer les champignons à l'aide d'un linge humide et les tailler en cubes.

2 Couper l'oignon et l'ail en brunoise (petits dés).

3 Dans une poêle, faire chauffer l'huile d'olive à feu moyen-élevé. Ajouter les champignons et les faire revenir de 5 à 6 minutes, en remuant fréquemment.

4 Ajouter l'ail et l'oignon et continuer la cuisson durant 5 minutes supplémentaires.

5 Ciseler les feuilles de sauge et les ajouter à la préparation de champignons en fin de cuisson.

6 Assaisonner au goût.

7 Sur une grande surface de travail propre, étendre une feuille de pâte phyllo.

8 La beurrer à l'aide d'un pinceau et y déposer une seconde feuille de pâte phyllo.

9 Plier les feuilles en deux.

10 Disposer au centre un morceau de Migneron de Charlevoix, ainsi que le quart de la préparation aux champignons. Refermer les feuilles de pâte phyllo en un petit baluchon, et badigeonner de beurre. Réserver au frais.

ROYALE DE POTIRON

1 potiron (ou courge butternut)

5 œufs

1 ⅕ tasse (300 ml) de crème 35 %

1 pincée de noix de muscade

Huile d'olive

Sel et poivre, au goût

1 Préchauffer le four à 350°F.

2 Enlever la peau du potiron et le couper en morceaux. Les arroser d'huile d'olive, les assaisonner de sel et de poivre, et les faire cuire au four jusqu'à ce qu'ils soient bien cuits et tendres. Cette opération s'échelonne sur 30 à 40 minutes.

3 Au robot culinaire, réduire le potiron en purée afin d'obtenir une consistance lisse et homogène.

4 Refroidir durant 30 minutes au réfrigérateur.

5 Dans un grand bol, réunir la purée de potiron, 3 œufs, 2 jaunes d'œuf, la crème, et une pincée de noix de muscade. Assaisonner au goût et bien mélanger au fouet.

6 Verser dans le fond de 4 assiettes creuses et faire cuire au four durant 15 minutes à 320°F.

ASSEMBLAGE

¼ de noix de muscade

½ tasse (60 g) de noisettes

1 tasse (250 ml) de roquette fraîche

½ tasse (125 ml) de lait 1 %

Huile d'olive

Sel et poivre, au goût

1 Faire cuire les pastillas au four à 350°F de 12 à 15 minutes environ, jusqu'à ce qu'elles soient dorées.

2 Dans une petite casserole, faire chauffer le lait à feu moyen. Ajouter sel et poivre au goût, et râper la muscade.

3 Mixer le lait au bras-mélangeur afin de le faire mousser.

4 Assaisonner la roquette d'huile d'olive, de sel et de poivre, au goût.

5 Déposer les pastillas au milieu de l'assiette, sur la royale de potiron. Déposer la roquette sur chaque pastilla et parsemer de noisettes. Décorer d'écume de lait tout autour de l'assiette. Servir immédiatement.

Betteraves etc.

PAR MARIE-ÈVE COLLIN
(SIMPLÉCHIC TRAITEUR)

POUR : 4 PERSONNES	TEMPS DE PRÉPARATION : 20 MINUTES	TEMPS DE CUISSON : 10 MINUTES

INGRÉDIENTS

2 betteraves jaunes de taille moyenne

4 petites betteraves Chioggia

1 poignée de pois mange-tout

1 c. à thé (5 ml) de sel

1 pomme verte

1 c. à thé (5 ml) de jus de citron

2 c. à s. (30 ml) de crème sure

2 c. à s. (30 ml) d'huile d'olive

⅓ tasse (80 ml) de pacanes concassées

1 petite poignée de pousses de tournesol

¼ tasse (60 ml) de fromage Pecorino Pepato

2 c. à thé (10 ml) d'huile de mandarine

Fleur de sel, au goût

Poivre, au goût

1 Porter une casserole d'eau à ébullition et y faire cuire les betteraves, jusqu'à ce que la pointe d'un couteau en traverse aisément la chair. Les égoutter et laisser refroidir. Attention, les petites betteraves nécessiteront moins de temps de cuisson.

2 Porter une seconde casserole d'eau à ébullition et ajouter la cuillérée à thé de sel. Blanchir les pois mange-tout durant environ 45 secondes. Les égoutter et les déposer immédiatement dans un bol d'eau glacée afin de stopper la cuisson.

3 À la mandoline, trancher la pomme en juliennes.

4 Émincer les pois mange-tout.

5 Dans un bol, mélanger la pomme et les pois mange-tout avec le jus de citron et la moitié de l'huile d'olive. Ajouter le poivre et la fleur de sel, au goût. Réserver.

6 Couper les betteraves chiogga en quartiers.

7 Dans un bol, mélanger le reste de l'huile d'olive avec les betteraves Chioggia et assaisonner.

8 À l'aide d'une mandoline, couper les betteraves jaunes en fines tranches. Les disposer à plat dans quatre assiettes de service.

9 Déposer ensuite harmonieusement les betteraves Chioggia, ainsi que la salade de pommes et de pois mange-tout sur les tranches de betteraves jaunes.

10 Décorer avec les pacanes, quelques pointes de crème sure, les pousses de tournesol, ainsi que des lamelles de Pecorino Pepato.

11 Terminer en ajoutant fleur de sel et poivre, au goût, ainsi qu'un trait d'huile de mandarine.

Soupe de topinambours

PAR MIKE DIAMOND
(LE HANGAR)

ÉTAGÉ DE TOFU LAQUÉ ET OIGNONS CARAMÉLISÉS

POUR : 4 PERSONNES	TEMPS DE PRÉPARATION : 25 MINUTES	TEMPS DE CUISSON : 60 MINUTES	TEMPS D'ATTENTE : 30 MINUTES

TOFU LAQUÉ

1 paquet de tofu ferme
¼ tasse (60 ml) de tamari
1 c. à s. (15 ml) de sirop d'érable
½ c. à thé (2,5 ml) d'huile de sésame

1 Retirer le tofu de son emballage et bien l'éponger avec du papier absorbant. Le déposer ensuite dans une passoire et le laisser reposer durant 30 minutes. Le tofu perdra ainsi un peu de son liquide et absorbera la marinade, en plus d'avoir une texture plus crémeuse.

2 Dans un bol, mélanger le tamari, le sirop d'érable et l'huile de sésame.

3 Couper le tofu en tranches d'un demi-centimètre d'épaisseur et les tremper dans la marinade.

4 Déposer le tofu sur une plaque couverte de papier parchemin et mettre au four pendant 20 minutes à 350°F.

5 Tourner les tranches de tofu, badigeonner généreusement de marinade et remettre au four durant 20 minutes supplémentaires.

6 Retirer du four. Réserver à température ambiante.

OIGNONS CARAMÉLISÉS

2 gros oignons
1 branche de thym frais
1 feuille de laurier
3 c. à s. (45 ml) d'huile d'olive

1 Trancher l'oignon en rondelles.

2 Dans une poêle, faire chauffer l'huile d'olive à feu moyen et ajouter l'oignon, le thym et le laurier. Laisser cuire environ 45 minutes, en remuant régulièrement, jusqu'à ce que les oignons soient caramélisés.

3 Retirer du feu et réserver.

SOUPE DE TOPINAMBOURS

2 ½ tasses (450 g) de topinambours
1 branche de thym frais
1 feuille de laurier
1 gousse d'ail
2 c. à s. (30 ml) d'huile d'olive
1 tasse (250 ml) de bouillon de légumes
Sel et poivre, au goût

1 Éplucher les topinambours et hacher grossièrement l'ail.

2 Dans une papillote, placer les topinambours, le thym, le laurier, l'ail et l'huile d'olive. Assaisonner au goût.

3 Faire cuire la papillote durant 25 minutes au four à 400°F.

4 Quelques minutes avant la fin de la cuisson de la papillote, porter le bouillon de légumes à ébullition.

5 Au robot culinaire, réduire en purée lissse le bouillon de légumes et les topinambours, en prenant bien soin de retirer la branche de thym et la feuille de laurier.

6 Assaisonner au goût et réserver.

CITROUILLE AU CARI

2 tasses (500 ml) de citrouille
1 c. à thé (5 ml) de cari
2 c. à s. (30 ml) d'huile d'olive

1 Tailler la citrouille en petits dés.

2 Dans un poêle, faire chauffer l'huile d'olive à feu moyen et ajouter les dés de citrouille. Ajouter le cari et bien mélanger.

3 Faire sauter les dés de citrouille une dizaine de minutes, jusqu'à ce qu'ils soient tendres.

4 Retirer du feu et réserver jusqu'à l'assemblage.

ASSEMBLAGE

1 Sur une petite plaque allant au four, monter pour chaque convive deux étages de tofu laqué, d'oignons caramélisés et de dés de citrouille. Prendre soin de finir le montage avec une tranche de tofu.

2 Réchauffer au four durant 12 minutes à 350 °F.

3 Réchauffer la soupe de topinambours et la verser dans chaque bol de service.

4 Y déposer l'étagé de tofu et garnir de petites pousses ou herbes fraîches, au goût. Servir immédiatement.

SUGGESTION DE LA SOMMELIÈRE

Ktima Biblia Chora
Vin de pays de Pangée Ovilos
(Grèce)

La recette proposée par le chef du Hangar oscille entre la soupe et l'entrée. Les saveurs de topinambour, cari, citrouille, tamari et huile de sésame se mélangent, laissant la sommelière un peu perplexe. J'irai donc jouer d'audace en vous proposant un vin blanc du nord de la Grèce fait par deux vignerons visionnaires, patients et talentueux de ce pays. Ovilos est à base d'assyrtico et de sémillon et offre texture et richesse. Ses notes légèrement boisées et sa pointe d'amande et d'agrumes feront un accord qui sort de l'ordinaire.

CODE SAQ 10703594 - 28,25 $

DANNY ST PIERRE

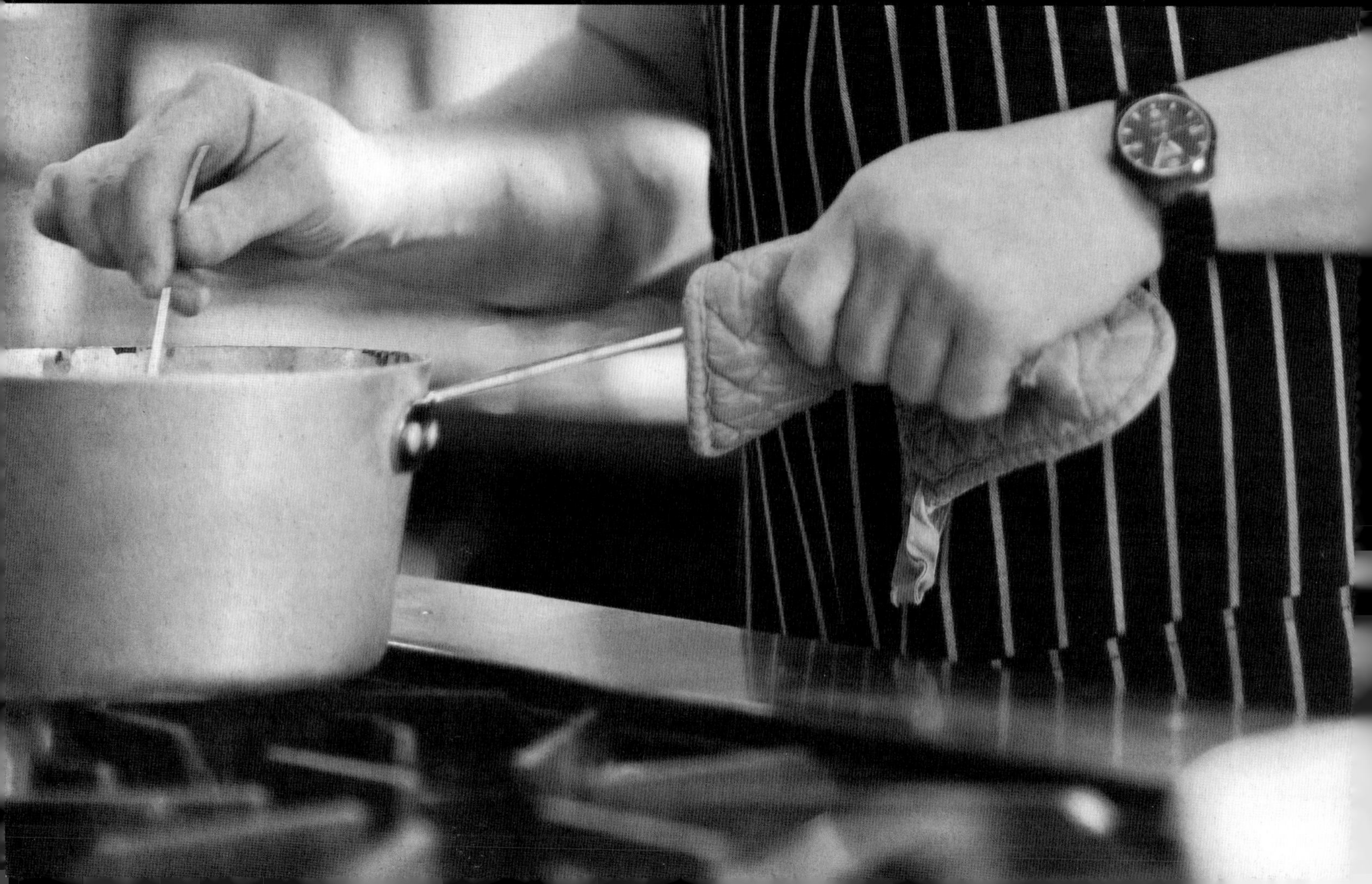

RESTAURANT AUGUSTE

82, rue Wellington Nord, Sherbrooke (Québec) J1H 5B8 819 565-9559 www.auguste-restaurant.com

Chef et copropriétaire du restaurant Auguste, à Sherbrooke, Danny St Pierre propose une gastronomie originale, mais toujours sans prétention ; un croisement entre la cuisine rustique, qui puise dans les traditions canadiennes-françaises, et la cuisine française classique. Le nom «Auguste» rend hommage à une excellente cuisinière, Augustine, la grand-mère de sa partenaire, Anik Beaudoin, ainsi qu'au légendaire chef français Auguste Escoffier. La lumière, la bonne humeur et l'espace sont au rendez-vous chez Auguste, qui est situé en plein centre-ville de la Reine des Cantons de l'Est. Véritable référence en Estrie, ce restaurant roule à plein régime depuis plus de trois ans. Danny St Pierre fait partie de la nouvelle génération des grands chefs de la cuisine québécoise.

Le chef est diplômé de l'Institut de tourisme et d'hôtellerie du Québec, où il a suivi le programme de formation supérieure en cuisine en 1998. Après un passage chez Jean-Pierre Senelet, en Bourgogne, Danny se joint à l'équipe de Normand Laprise au Toqué ! Devenu chef exécutif à Derrière les fagots en 2001, le chef y développe sa signature culinaire pendant quatre ans. En 2007, le restaurant Laloux à Montréal fait appel à ses conseils de chef aguerri. Un an plus tard, il devient copropriétaire du restaurant Auguste. Le chroniqueur Thierry Daraize a nommé Auguste meilleur restaurant à l'extérieur de Montréal en 2009.

Suivez Danny St Pierre sur Twitter @dannystpierre

SUGGESTION DE LA SOMMELIÈRE

**François Chidaine
Montlouis Les Choisilles (France)**

Les asperges ne font pas la vie facile au vin. J'aime par contre beaucoup cette recette. Elle est facile, rapide et fait une très belle entrée, particulièrement lorsque c'est la saison des asperges. Je vous propose ici un vin à base de chenin blanc, tendu, mais de belle texture, pour accompagner cette salade. Avec ses notes de citron et de miel, le Montlouis Les Choisilles de François Chidaine m'apparaît comme un partenaire naturel.

Alternative : un vin blanc sec de la Loire sur une base de chenin blanc (évitez les vins demi-secs ou liquoreux).

CODE SAQ 11153176 - 30,50 $

Salade d'asperges

CITRONNÉE AU FÉTA DE BREBIS

POUR :
4 PERSONNES

TEMPS DE PRÉPARATION :
15 MINUTES

TEMPS DE CUISSON :
10 MINUTES

INGRÉDIENTS

1 c. à thé (5 ml) de gros sel
1 botte d'asperges
2 c. à s. (30 ml) d'huile d'olive
1 tasse (250 ml) de pain baguette
1 gousse d'ail
½ citron
⅖ tasse (100 ml) d'huile de tournesol
1 c. à thé (5 ml) de moutarde de Dijon
1 c. à thé (5 ml) de miel
⅖ tasse (100 ml) d'oignons rouges
1 tasse (250 g) de féta de brebis
3 tasses (500 ml) de roquette fraîche
Sel et poivre, au goût

1 Porter à ébullition une casserole remplie d'eau. Ajouter le gros sel.

2 Blanchir les asperges durant une minute dans l'eau salée. Retirer immédiatement les asperges du feu et les déposer dans un grand bol d'eau glacée, afin d'en stopper la cuisson.

3 Couper les asperges en deux, dans le sens de la longueur. Réserver.

4 Couper le pain baguette en petits morceaux de la taille de croutons.

5 Dans une poêle, faire chauffer l'huile d'olive à feu moyen-élevé et ajouter les morceaux de pain. Assaisonner généreusement de sel et poivre et faire frire de 5 à 6 minutes, le temps que les morceaux de baguette soient dorés et croquants.

6 Pendant ce temps, hacher finement l'ail. Retirer les morceaux de baguette du feu et ajouter l'ail. Bien mélanger et réserver.

7 Dans un bol, mélanger le jus de citron, l'huile de tournesol, la moutarde de Dijon et le miel.

8 Couper l'oignon en brunoise (petits dés) et l'incorporer à la vinaigrette.

9 Diviser en quatre assiettes la roquette fraîche et les asperges. Couvrir de vinaigrette, de croûtons à l'ail et de féta de brebis. Servir immédiatement.

Faux bœuf bourguignon

POUR :	TEMPS DE PRÉPARATION :	TEMPS DE CUISSON :
4 PERSONNES	15 MINUTES	35 MINUTES

TOFU BRAISÉ AUX CHAMPIGNONS

3 tasses (600 g)	de tofu ferme
2	gousses d'ail
4	échalotes françaises
8	topinambours
2 tasses (500 ml)	de champignons shiitakes
1 tasse (250 ml)	de vin rouge
1 tasse (250 ml)	d'eau
⅖ tasse (100 ml)	de miso
1	clou de girofle
1	pincée de muscade
1	feuille de laurier
2	carottes
1 c. à thé (5 ml)	de fécule de maïs diluée dans un peu d'eau
3 c. à s. (45 ml)	d'huile d'olive

1. Trancher grossièrement les carottes, les topinambours, les champignons shiitakes, l'ail, ainsi que les échalotes françaises.

2. Dans une poêle profonde, à feu moyen-élevé, faire chauffer l'huile d'olive et faire sauter les légumes tranchés de 5 à 6 minutes.

3. Déglacer au vin rouge.

4. Ajouter le clou de girofle, la muscade, la feuille de laurier et le miso. Laisser cuire pendant 1 minute.

5. Couper le tofu en petits cubes d'environ 2 centimètres de long.

6. Incorporer le tofu et l'eau. Bien mélanger, couvrir et laisser frémir à feu moyen environ 30 minutes.

7. Ajouter la fécule de maïs et servir immédiatement dans quatre bols, parsemés de persillade.

PERSILLADE

1 tasse (250 ml)	de persil frais
½	gousse d'ail
	Vinaigre de vin rouge, au goût
	Huile de truffe, au goût
	Sel et poivre, au goût

1. Hacher finement le persil frais et l'ail.

2. Bien les mélanger dans un bol et les assaisonner généreusement.

3. Ajouter quelques gouttes de vinaigre de vin et d'huile de truffe, au goût. Servir sur le faux bœuf bourguignon.

Soupe aux lentilles

CARI ET ABRICOTS

POUR : 4 PERSONNES	TEMPS DE PRÉPARATION : 10 MINUTES	TEMPS DE CUISSON : 60 MINUTES

INGRÉDIENTS

1 tasse (250 g) de lentilles rouges cuites
2 c. à soupe (30 ml) de cari de madras
2 oignons de taille moyenne
1 tomate
½ tasse (125 ml) de beurre
1 c. à s. (15 ml) de gingembre haché
6 abricots secs
3 tasses (750 ml) d'eau
Sel et poivre, au goût

1 Trancher les oignons en rondelles. Dans une grande casserole, faire fondre le beurre à feu moyen. Ajouter les oignons et les laisser cuire environ 45 minutes, en remuant régulièrement, jusqu'à ce qu'ils soient caramélisés.

2 Ajouter les lentilles, le gingembre haché et le cari.

3 Épépiner et couper la tomate en petits dés. L'ajouter dans la casserole et bien mélanger.

4 Verser l'eau. Ajouter le sel et le poivre, au goût.

5 Trancher les abricots secs en lanières. Incorporer dans la casserole.

6 Porter à ébullition, couvrir et laisser frémir durant 10 minutes.

7 Servir avec une cuillérée de yaourt aux échalotes.

YAOURT AUX ÉCHALOTES

⅖ tasse (100 ml) de yaourt méditerranéen 10 % m.g.
⅖ tasse (100 ml) d'échalotes

1 Ciseler finement l'échalote.

2 Dans un bol, mélanger le yaourt et les échalotes. Bien mélanger et réserver.

3 Servir directement sur la soupe.

JÉRÔME
FERRER

RESTAURANT EUROPEA

1227, rue de la Montagne, Montréal (Québec) H3G 1Z2   514 398-9229   www.europea.ca

Jérôme Ferrer est le chef et copropriétaire du restaurant montréalais Europea, installé rue de la Montagne depuis 2002. La clientèle y trouve un répit face au boucan de la métropole, dans une cuisine française «techno émotionnelle» au goût d'Amérique. Il fait de plus la part belle aux produits régionaux en développant son menu en fonction des saisons.

Le chef Ferrer est installé au Québec depuis 2001 avec ses deux meilleurs amis. Ce trio a non seulement démarré Europea à partir de rien, mais l'association se poursuit toujours dans d'autres établissements de Montréal, dont l'Andiamo, le Beaver Hall, et le Birks café avec un grand ami du chef, Francis Reddy. Depuis, les gens d'affaires et les touristes s'y ruent en grand nombre ;

le restaurant Europea s'est vu décerné la distinction Quatre Diamants du CAA et de l'AAA en 2009. De plus, Jérôme Ferrer participe à de nombreuses émissions de télévision et a publié quatre livres de cuisine à succès, le plus récent étant *Végétarien, parfois, souvent, passionnément*. Ce chef est aussi décoré du titre de Maître Cuisinier de France pour l'excellence en gastronomie. Membre de l'Académie Culinaire de France, Jérôme Ferrer a reçu plusieurs distinctions, dont celle du chef de l'année en 2007 et en 2010 par l'Association des chefs cuisiniers et pâtissiers du Québec pour le chapitre Montréal-Québec. Europea a été nommé restaurant de l'année Debeur en 2010, élu restaurant de l'année 2010 du *Guide Resto Voir*, et fait parti de la prestigieuse bannière des Relais & Châteaux depuis janvier 2011.

Orgeotto

COMME UN RISOTTO AUX BETTES À CARDE

POUR :	TEMPS DE PRÉPARATION :	TEMPS DE CUISSON :
4 PERSONNES	10 MINUTES	35 MINUTES

BETTES À CARDE

5 bettes à carde
2 gousses d'ail
2 échalotes françaises
½ tasse (125 ml) de vin blanc
2 c. à s. (30 ml) d'huile d'olive
Sel et poivre, au goût

1 Séparer les tiges des bettes à carde de leurs feuilles.

2 Dans une grande casserole, porter l'eau à ébullition. Pocher les feuilles de bette à carde pendant une trentaine de secondes.

3 Les retirer du feu et les déposer immédiatement dans de l'eau glacée.

4 Égoutter et ciseler les feuilles de bette à carde.

5 Couper les tiges de bette à carde en petits dés.

6 Hacher les échalotes françaises et l'ail.

7 Dans une poêle, faire chauffer l'huile d'olive à feu moyen. Incorporer les échalotes et l'ail, et faire sauter durant 2 à 3 minutes.

8 Ajouter les feuilles et les tiges de bette à carde. Ajouter le sel et le poivre, au goût.

9 Déglacer au vin blanc et laisser cuire durant 2 minutes supplémentaires. Réserver.

ORGEOTTO

2 tasses (500 ml) d'orge mondée
2 tasses (500 ml) d'eau
3 tasses (750 ml) de bouillon de légumes
2 c. à s. (30 ml) d'huile d'olive
Le jus d'un citron
1 c. à s. (15 ml) de beurre
½ tasse (125 ml) de parmesan
Sel et poivre, au goût

1 Dans une grande poêle profonde, faire chauffer l'huile d'olive à feu moyen. Incorporer l'orge mondée, préalablement rincée à grande eau. Faire sauter de 1 à 2 minutes.

2 Incorporer les deux tasses d'eau et laisser cuire quelques minutes, en remuant occasionnellement.

3 Lorsque le liquide a presque disparu, incorporer le bouillon de légumes. Laisser cuire de 15 à 20 minutes, en remuant régulièrement, le temps que l'orge soit cuite et tendre, et que le liquide ait presque complètement disparu.

4 Ajouter la préparation de bettes à carde, le beurre et le fromage parmesan. Assaisonner au goût. Laisser mijoter durant 5 à 6 minutes.

5 Servir immédiatement en arrosant le tout d'un filet de jus de citron.

Légumes d'été

POUR : 4 PERSONNES	TEMPS DE PRÉPARATION : 25 MINUTES	TEMPS DE CUISSON : 5 MINUTES	TEMPS D'ATTENTE : 60 MINUTES

INGRÉDIENTS

1 concombre
1 poivron vert
1 tomate
1 branche de céleri
1 branche de chou-fleur
1 branche de fenouil
½ poireau
1 carotte
1 oignon rouge
1 asperge
⅓ tasse (80 ml) d'olives Kalamata
1 c. à soupe (15 ml) de ciboulette fraîche
1 c. à soupe (15 ml) de basilic frais
1 c. à soupe (15 ml) d'aneth frais
1 c. à s. de cerfeuil frais
Le jus d'un citron
1 c. à s. (15 ml) d'huile d'olive

1 Couper tous les légumes en petits dés.

2 Ciseler les herbes fraîches.

3 Dans un grand bol, bien mélanger tous les légumes et les herbes fraîches.

4 Arroser du jus de citron et de l'huile d'olive.

5 Réserver au frais une heure.

6 Ajouter ensuite la vinaigrette.

7 À l'aide d'un emporte-pièce, monter le tartare de légumes au centre d'une assiette et accompagner d'une fleur de courgette tempura.

VINAIGRETTE

¼ tasse (60 ml) de vinaigre de xérès
¼ tasse (60 ml) d'huile d'olive
¼ tasse (60 ml) de miel
Sel et poivre, au goût

1 Mélanger tous les ingrédients dans un bol. Assaisonner au goût.

2 Réserver.

FLEURS DE COURGETTE TEMPURA

3 jaunes d'œufs
½ tasse (125 ml) de farine
½ tasse (125 ml) d'eau très fraîche
4 fleurs de courgette
Huile de canola pour la friture

1 Dans un bol, bien mélanger les jaunes d'œuf et la farine.

2 Tout en remuant au fouet à main, verser un filet l'eau très fraîche, jusqu'à obtention d'un mélange lisse et homogène.

3 Dans une grande poêle ou à la friteuse, faire chauffer l'huile de canola à feu vif.

4 Tremper entièrement les fleurs de courgettes dans la préparation à tempura et les déposer dans le bain d'huile très chaude. Faire frire quelques minutes, jusqu'à ce que les fleurs de courgette soient dorées. Réserver sur du papier absorbant.

À défaut d'utiliser des fleurs de courgette, on peut les remplacer par un autre légume de saison des mini-carottes, par exemple.

MICHAEL OLIPHANT

RESTAURANT LE GOURMAND

42, avenue Sainte-Anne, Pointe-Claire (Québec) H9S 4P8   514 695-9077   www.restaurantlegourmand.ca

Dans le magnifique village de Pointe-Claire, sur la rue Sainte-Anne en bordure du lac Saint-Louis se trouve une petite perle à découvrir absolument : le restaurant Le Gourmand. Copropriété des frères Ken et Michael Oliphant, il s'agit d'une destination privilégiée pour les hommes d'affaires qui voyagent et atterrissent à l'aéroport, non loin de là. Logé dans la maison Pierre Demers, faite de pierres des champs locaux et de bois nu, l'établissement est rustique et chaleureux ; on y retrouve une atmosphère décontractée et intimiste. Les frères Oliphant tiennent les lieux depuis plus de 15 ans. Kenny s'occupe des affaires et le chef Michael, de la cuisine et du choix des vins. Il propose un menu français avec une touche cajun, dont les deux assises principales sont la fraîcheur et la qualité des produits locaux et étrangers choisis avec soin. Le chef Oliphant se dit autodidacte et il aime depuis toujours s'amuser avec différents concepts, ce qui rend sa cuisine aussi originale que savoureuse. Le plus important, à son avis, est de laisser les saveurs du plat parler d'elles-mêmes.

Le chef, aujourd'hui dans la jeune cinquantaine, a fait ses classes à l'Institut de tourisme et d'hôtellerie du Québec lorsqu'il avait 19 ans. Sa passion pour la gastronomie lui vient de sa mère, excellente cuisinière, et d'un séjour marquant en Californie, à l'été de ses 17 ans. C'est alors qu'il découvre la richesse et la diversité des légumes. C'est aussi là que le jeune cuisinier s'initie à la cuisine végétarienne. Il retournera d'ailleurs en Californie, après avoir terminé sa formation à Montréal, pour devenir chef privé près de San Francisco, de même qu'à Palm Springs. De retour au Québec, il perfectionnera son art en œuvrant au sein de divers grands restaurants de la métropole, en plus de lancer une ligne de produits fins. C'est en 1996 que les deux frères Oliphant achètent le restaurant Le Gourmand, aujourd'hui reconnu, à juste titre, comme une destination de choix.

Flan de fromage de chèvre

SUR COULIS DE BETTERAVES, GARNI DE CHAMPIGNONS ET COMPAGNIE

POUR : 4 PERSONNES	TEMPS DE PRÉPARATION : 20 MINUTES	TEMPS D'ATTENTE : 45 MINUTES	TEMPS DE CUISSON : 10 MINUTES

COULIS DE BETTERAVES

3 betteraves de grandeur moyenne

1 c. à s. (15 ml) d'huile d'olive

1 échalote, ciselée

2 gousses d'ail, hachées

1 c. à s. (15 ml) de thym frais

⅔ tasse (170 ml) d'eau fraîche, au besoin

2 c. à s. (30 ml) supplémentaires d'huile d'olive

Sel et poivre au goût

1 Dans une casserole, faire bouillir de l'eau salée. Y ajouter les betteraves, réduire le feu à doux-moyen. Laisser cuire environ 45 minutes, le temps que les betteraves soient tendres. Retirer les betteraves de l'eau et les laisser refroidir.

2 Lorsque les betteraves sont assez froides pour être manipulées, enlever leur peau et les couper grossièrement.

3 Dans une petite poêle, faire chauffer l'huile d'olive à feu moyen. Incorporer l'échalote ciselée, le thym et l'ail haché, et laisser cuire de 3 à 5 minutes, le temps que l'échalote soit légèrement tendre.

4 Au robot culinaire, incorporer les betteraves et le mélange d'échalote, d'ail, de thym. Ajouter l'huile d'olive, le sel, le poivre, et de l'eau, au besoin, de façon à permettre à la purée de devenir lisse et homogène. Si la purée demeure trop épaisse, ajouter davantage d'eau. Réserver au réfrigérateur.

FLAN DE FROMAGE DE CHÈVRE

½ tasse (100 g) de fromage de chèvre

⅔ tasse (170 ml) de fromage à la crème

1 œuf

2 jaunes d'œufs

½ c. à s. (7,5 ml) de sauce piquante (au goût)

⅔ tasse (170 ml) de crème 35 %

¼ tasse (60 ml) de farine

Sel et poivre, au goût

1 Laisser le fromage de chèvre à la température de la pièce une quinzaine de minutes.

2 Dans un robot culinaire, bien mélanger le fromage de chèvre, le fromage à la crème, l'œuf, les jaunes d'œufs, la sauce piquante, la crème, le sel et le poivre.

3 Verser le mélange homogène dans des moules à muffins et les passer au four durant 25 minutes à 350 °F.

CHAMPIGNONS

2 tasses (500 ml) de pleurotes

1 ½ tasse (250 ml) de chanterelles

1 gousse d'ail

4 c. à s. d'huile d'olive

Sel et poivre, au goût

1 Dans une grande poêle, faire chauffer l'huile d'olive à feu moyen.

2 Hacher l'ail et trancher les champignons. Les faire sauter dans la poêle une dizaine de minutes, le temps qu'ils soient cuits et qu'ils aient réduit.

3 Assaisonner au goût. Réserver.

ASSEMBLAGE

8 tiges de ciboulettes

⅓ tasse (80 ml) de noix de pin

Huile d'olive de bonne qualité

1 Dans une poêle, faire griller les noix de pin durant quelques secondes.

2 Placer deux flans de fromage de chèvre sur une assiette de service.

3 Ajouter les champignons.

4 Verser le coulis de betteraves autour des flans de fromage de chèvre.

5 Garnir avec de la ciboulette hachée, les noix de pin et l'huile d'olive.

Crêpes aux Lentilles

ET AUX HERBES FRAÎCHES, SALADE D'ASPERGES ET D'ORANGES

POUR :	TEMPS DE PRÉPARATION :	TEMPS DE CUISSON :
4 PERSONNES	30 MINUTES	10 MINUTES

SALADE D'ASPERGES ET D'ORANGES

20	asperges blanches et vertes
1	petit oignon rouge
4	oranges
2 tasses (500 ml)	de roquette fraîche
⅜ tasse (95 ml)	de fèves de soya cuites

1 Couper finement les asperges à la mandoline.

2 Couper le petit oignon rouge en tranches très minces.

3 Débarrasser les oranges de leur pelure et les couper en segments, en suivant leurs nervures.

4 Dans une poêle chaude, faire griller les fèves de soya environ 2 minutes. Réserver.

5 Dans un bol, mélanger les tranches d'asperge, les morceaux d'oranges, les tranches d'oignon et la roquette fraîche. Réserver.

VINAIGRETTE

⅜ tasse (95 ml)	d'huile d'olive
½ c. à s. (7,5 ml)	de moutarde de Dijon
4 c. à s. (60 ml)	de jus de citron frais
½ c. à s. (7,5 ml)	de cassonade
	Sel et poivre, au goût

1 Dans un bol, mélanger tous les ingrédients jusqu'à l'obtention d'une vinaigrette homogène. Réserver.

CRÈME SURE ÉPICÉE

1 tasse (250 ml)	de crème sure
1 c. à s. (15 ml)	de piment d'Espelette ou de sauce au piment fort

1 Dans un bol, bien mélanger les deux ingrédients. Réserver.

CRÊPES

1 ½ tasse (375 ml)	de lentilles cuites
1	œuf
¼ tasse (60 ml)	de farine
½ c. à thé (3 ml)	de levure artificielle
¼ tasse (60 ml)	huile d'olive
1 c. à s. (15 ml)	d'estragon frais
¼ tasse (60 ml)	d'aneth frais
¼ tasse (60 ml)	de persil italien frais
1	échalote française
⅓ tasse (80 ml)	de crème 35 %
	Huile d'olive
	Sel et poivre, au goût

1 Dans un robot culinaire, mélanger les lentilles, l'œuf, la levure artificielle, l'estragon, le persil, l'aneth et l'échalote française, jusqu'à l'obtention d'une purée homogène.

2 Ajouter la crème, le sel et le poivre, et continuer à mélanger jusqu'à l'obtention d'une purée lisse. Au besoin, incorporer de l'eau pour faciliter cette étape.

3 Dans une poêle, faire chauffeur un peu d'huile d'olive à feu moyen-élevé. Verser une louche de mélange à crêpe et faire cuire durant 2 à 3 minutes jusqu'à l'obtention d'une surface dorée de chaque côté de la crêpe.

ASSEMBLAGE

1 Placer la crêpe chaude au centre de l'assiette.

2 Mélanger la vinaigrette avec la salade, au goût, et placer la salade sur la crêpe.

3 Finir en dispersant les fèves de soya sur la salade et en servant une généreuse cuillérée de crème sure épicée pour accompagner la crêpe.

SUGGESTION DE LA SOMMELIÈRE

**Château de Cruzeau
Pessac-Léognan Blanc (France)**

L'asperge est un légume difficile à marier avec le vin. On a ici un plat qui allie fraicheur et richesse. Je vous propose cette même combinaison avec un vin d'assemblage de sauvignon blanc et de sémillon. Ses notes d'agrumes, de pêche et de miel sont combinées à une bouche ronde et à une finale tout en fraicheur. Un compagnon de choix.

*Alternative : un Bordeaux blanc
à base de sauvignon et de sémillon.*

CODE SAQ 225201 - 23,75 $

RISTORANTE
PRIMO & SECONDO

7023, rue Saint Dominique, Montréal (Québec) H2S 3B6   514 908-0838   www.primoesecondo.ca

Primo & Secondo, a été lancé en 2001 au cœur de la Petite Italie par son chef Roberto Stabile. L'établissement peut accueillir une quarantaine de gourmets : l'espace disponible est entièrement utilisé et l'ambiance distinguée inspire le romantisme. Le chef Stabile y prépare des mets traditionnels italiens, en y imprimant chaque fois sa signature sans jamais s'éloigner de leur essence. Il ne jure que par les produits locaux et frais du marché, où il se retrouve quotidiennement ; il les combine à de merveilleux produits italiens certifiés *Denominazione di Origine Protetta*. Bref, il redéfinit la simplicité de la cuisine italienne. Le cellier du restaurant contient plus de deux mille bouteilles comprenant des importations privées et des vins de spécialité.

Le patron du Primo & Secondo vient d'une famille originaire d'Italie. On peut dire que les fées de la cuisine se sont penchées sur le berceau de Roberto : il est doué d'un véritable talent naturel pour l'art culinaire et a appris la majeure partie de ce qu'il sait en autodidacte. Il a peaufiné sa virtuosité culinaire à l'Institut de tourisme et d'hôtellerie du Québec au cours des années 90, puis à laissé tomber ses études, afin de relever un défi à sa hauteur. C'est en travaillant à travers l'Europe qu'il a pris conscience du fait que que sa passion la plus inextinguible restera toujours la cuisine italienne.

Raviolis

À LA COURGE BUTTERNUT ET AUX BISCUITS AMARETTI, SAUCE AU BEURRE, À LA SAUGE ET À LA POMME GRENADE

POUR : 4 PERSONNES	TEMPS DE PRÉPARATION : 45 MINUTES	TEMPS DE CUISSON : 10 MINUTES	TEMPS D'ATTENTE : 60 MINUTES

GARNITURE

1 courge Butternut
1 œuf
½ tasse (125 ml) de fromage Parmigiano Reggiano râpé
Le zeste d'un citron
20 biscuits Amaretti
Sel et poivre, au goût

1 Préchauffer le four à 350 °F.

2 Couper la courge en deux dans le sens de la longueur et la faire cuire au four pendant 45 minutes, sur une plaque à cuisson.

3 À l'aide d'une cuillère, retirer la chair de la courge.

4 Au robot culinaire, réduire la chair de la courge en purée.

5 Toujours au robot, bien mélanger l'œuf, le fromage, le zeste de citron, les biscuits Amaretti, et le sel et le poivre, au goût, jusqu'à l'obtention d'un mélange homogène. Réserver au frais durant 30 minutes.

PÂTE À RAVIOLIS

3 ½ tasses (875 ml) à
4 tasses (460 g) de farine
4 œufs
½ c. à s. (7,5 ml) d'huile d'olive

1 Placer 3 ½ tasses de farine au centre d'une grande surface de bois. Créer un puits au milieu.

2 Dans le puits, casser les œufs et verser l'huile d'olive.

3 À l'aide d'une fourchette, mélanger délicatement les œufs et l'huile d'olive.

4 Incorporer tranquillement et graduellement la farine extérieure aux ingrédients liquides placés dans le puits.

5 Lorsque la pâte prend forme, utiliser les mains pour incorporer la farine restante.

6 À la main, former une belle pâte homogène.

7 Toujours à la main, pétrir la pâte durant 4 à 5 minutes, jusqu'à ce qu'elle soit légèrement collante et élastique. Au besoin, ajouter un peu de farine, sans jamais assécher la pâte.

8 Placer la pâte dans une pellicule de plastique et la réfrigérer durant au moins une heure.

9 Retirer la pâte de la pellicule de plastique et la couper en 4 parties égales.

10 À la machine à pâtes ou au rouleau, amincir la pâte le plus finement possible.

11 Détailler 12 rectangles de 1 pouce sur 2,5 pouces. Incorporer les retailles au reste de la pâte. Répéter ces opérations jusqu'à l'obtention du nombre de rectangles désiré.

12 Placer une cuillérée à soupe de garniture sur chaque rectangle de pâte.

13 Plier en deux et fermer les raviolis, et les placer sur une grande plaque enfarinée. Réserver.

FINITION

½ tasse (125 ml) de beurre
12 feuilles de sauge fraîche
½ tasse (125 ml) de graines de grenade
2 c. à s. (30 ml) de sel

1 Porter une grande casserole d'eau à ébullition. Ajouter le sel.

2 Faire cuire les raviolis dans l'eau bouillante durant 3 minutes.

3 Pendant ce temps, faire fondre le beurre dans une grande poêle à feu moyen-élevé. Incorporer ¼ tasse (60 ml) d'eau de cuisson. Bien mélanger.

4 Ajouter les raviolis dans la poêle avec les feuilles de sauge ciselées. Laisser cuire délicatement pendant 1 minute.

5 Décorer de graines de grenade et servir immédiatement.

Asperges blanches

ŒUF DE CAILLE ET PARMIGIANO REGGIANO

POUR :	TEMPS DE PRÉPARATION :	TEMPS DE CUISSON :
4 PERSONNES	5 MINUTES	10 MINUTES

INGRÉDIENTS

20 asperges blanches

1 c. à s. (15 ml) de sel

3 c. à s. (45 ml) d'huile d'olive

4 œufs de caille

Fromage Parmigiano Reggiano, au goût

Sel et poivre, au goût

1 Porter une grande casserole d'eau à ébullition. Ajouter la cuillérée de sel.

2 Blanchir les asperges dans l'eau bouillante durant deux minutes.

3 Retirer immédiatement les asperges et les déposer dans un bol d'eau glacée afin de stopper la cuisson.

4 Laisser refroidir, égoutter et séparer dans 4 assiettes de service.

5 Dans une grande poêle, faire chauffer l'huile d'olive à feu moyen-élevé.

6 Casser les œufs dans la poêle et les laisser cuire quelques minutes, jusqu'à la consistance désirée. Assaisonner au goût.

7 Déposer les œufs sur les asperges.

8 Râper le fromage Parmigiano Reggiano directement sur les asperges et les œufs, au goût. Servir immédiatement.

Risotto aux porcinis

À L'HUILE DE TRUFFE BLANCHE

POUR :	TEMPS DE PRÉPARATION :	TEMPS DE CUISSON :
2 À 4 PERSONNES	5 MINUTES	30 MINUTES

INGRÉDIENTS

½	oignon
½ tasse (120 g)	de champignons porcini frais ou surgelés
⅕ tasse (50 ml) + ⅛ tasse (30 ml)	de beurre
¼ tasse (60 g)	de champignons porcini secs
2 ⅔ tasses (660 ml)	de bouillon de légumes
½ tasse (125 ml)	de riz à risotto
1 c. à s. (15 ml)	de fromage Parmigiano Reggiano
2 c. à s. (30 ml)	d'huile de truffe

1 Hacher l'oignon et trancher grossièrement les champignons.

2 Dans une grande poêle profonde, faire fondre 50 ml de beurre à feu moyen. Ajouter l'oignon et le faire sauter de 2 à 3 minutes, sans jamais le laisser brunir.

3 Ajouter les champignons, bien brasser, et continuer la cuisson durant 2 minutes supplémentaires.

4 Incorporer le riz et poursuivre la cuisson de 1 à 2 minutes supplémentaires.

5 Incorporer une tasse de bouillon de légumes et continuer la cuisson en remuant régulièrement jusqu'à ce que le liquide ait presque complètement disparu. Répéter cette opération, une tasse de bouillon de légumes à la fois, jusqu'à ce que le riz soit tendre et crémeux.

6 Retirer du feu, incorporer le beurre restant, le fromage râpé et l'huile de truffe. Bien mélanger et servir immédiatement.

POIVRE NOIR

1300, rue du Fleuve, Trois-Rivières (Québec) G9A 5Z3   819 378-5772   www.poivrenoir.com

José Pierre Durand est un chef talentueux à l'aube de la trentaine. Avec sa famille, il est propriétaire du restaurant Poivre Noir, fondé en 2007. L'établissement est situé sur le site du parc portuaire de Trois-Rivières et offre une vue sensationnelle sur le fleuve Saint-Laurent. Le chef Durand fait dans la haute gastronomie française aux forts accents sud-américains, asiatiques et européens. Ses plats sont parsemés de fines herbes et relevés subtilement par des épices raffinées. D'ailleurs, le nom du restaurant fait référence à la route des épices, route que les Français croyaient suivre lorsqu'ils sont arrivés... au Québec au XVIe siècle. Depuis la vaste salle à manger contemporaine, charmante et lumineuse, les convives peuvent admirer le travail de l'équipe Durand dans la cuisine ouverte. Au Poivre Noir, l'espace est propice à la création et à l'originalité. Le métissage des cultures est la trame de fond de la philosophie culinaire de Durand, mais sa cuisine fait également la part belle aux produits d'une dizaine de producteurs de la région de la Mauricie. La cave à vins du Poivre Noir est surtout remplie de bouteilles d'importation privée sélectionnées par le sommelier Alain Lafrance.

José Pierre Durand est lui-même le fruit d'un métissage : sa mère est d'origine mexicaine et son père est natif de Trois-Rivières. Il travaille dans le domaine de la restauration depuis l'âge de 16 ans. Après ses cours à l'Institut de tourisme et d'hôtellerie du Québec, il se rend en France afin de suivre un stage décisif qui allumera l'étincelle de sa passion pour la gastronomie. La cuisine du pays voisin, l'Espagne, aura aussi une influence profonde sur lui. Toujours prêt à partager son amour pour la gastronomie, il a participé à l'émission *Recettes de chefs* à TV5. Il tient aussi une chronique culinaire bimensuelle dans *Le Nouvelliste*. En 2010, le critique gastronomique du *Journal de Montréal*, Thierry Daraize, a nommé José Pierre Durand comme l'un des 10 meilleurs chefs ayant marqué de son empreinte l'univers culinaire québécois et a consacré Poivre Noir meilleur restaurant en région, en 2010. Le *Guide Restos Voir 2008* lui a décerné cinq étoiles, à peine un an après l'ouverture du restaurant, une première au Québec. Poivre Noir a aussi mérité cette haute reconnaissance, en 2009 et 2010. Dans son guide *Au Resto !*, l'auteure Dominique Rhéaume a classé l'établissement dans sa liste de coups de cœur.

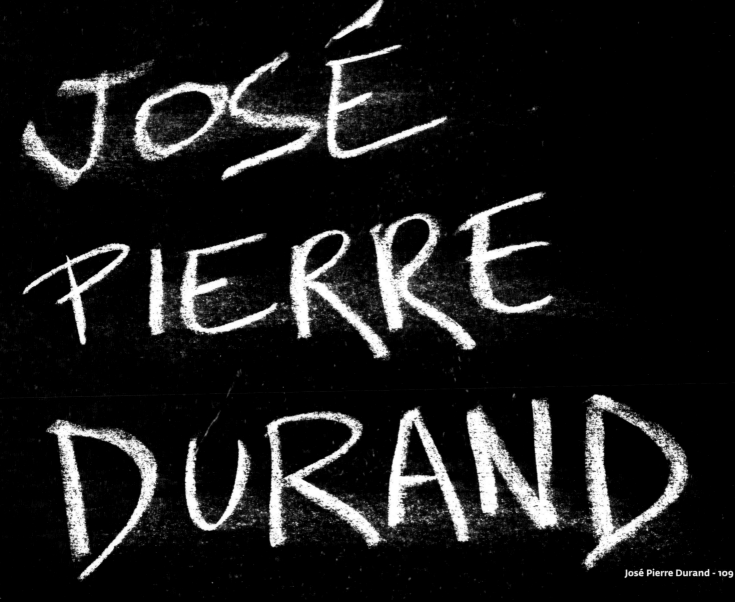

Légumes d'été

POUR :	TEMPS DE PRÉPARATION :	TEMPS DE CUISSON :
8 PERSONNES	30 MINUTES	5 MINUTES

LÉGUMES D'ÉTÉ

1	tomate
2 c. à s. (30 ml)	de céleri-rave
1	concombre anglais
1	mangue
1	poire asiatique
1	betterave jaune
1	poivron rouge
1	poivron jaune
12	feuilles de menthe
½ tasse (125 ml)	d'huile d'olive
⅕ tasse (50 ml)	de mirin
	Sel et poivre

1 Couper les fruits et les légumes en petite brunoise (très petits dés).

2 Ciseler la menthe.

3 Dans un saladier, mélanger les fruits et légumes, la menthe, l'huile d'olive et le mirin.

4 Assaisonner généreusement.

5 Déposer dans de petites tasses individuelles ou dans des verres à martini.

SHAMPOOING DE CAROTTES

2 tasses (500 ml)	de jus de carottes
2 c. à s. (30 ml)	de crème 35 %
1 c. à s. (15 ml)	de gingembre râpé
2 c. à s. (30 ml)	de miel
1 c. à thé (5 ml)	de lécithine de soya liquide

1 Dans une petite casserole, faire frémir durant 5 minutes le jus de carottes, la crème, le gingembre, le miel et la lécithine de soya. Retirer du feu.

2 À l'aide d'un bras-mélangeur, faire mousser le jus de carottes de façon à y incorporer le plus d'air possible.

3 Remplir le reste des tasses ou verres avec l'écume de carottes.

Mozzarella à la lavande

ET FIGUE À L'EAU DE ROSE

POUR :	TEMPS DE PRÉPARATION :	TEMPS DE CUISSON :
12 PERSONNES	30 MINUTES	15 MINUTES

INGRÉDIENTS

1	boule de mozzarella di Bufala
¼ tasse (60 ml)	de lavande
⅔ tasse (100 ml) + ⅓ tasse (50 ml)	d'huile végétale
1	branche de romarin frais
1	œuf
	Chapelure
1	figue noire fraîche
2 tasses (500 ml) + 4 c. à thé (20 ml)	d'eau
1 tasse (250 ml) + ⅔ tasse (100 ml)	de sucre
½ tasse (125 ml)	d'eau de rose
4 c. à thé (20 ml)	de moût de figue
½ tasse (50 g)	de noix de coco râpée

1 Dans une petite casserole, faire frémir l'huile végétale avec la lavande durant 15 minutes. Passer au tamis et réserver au froid.

2 Dans une petite casserole, incorporer deux tasses d'eau, l'eau de rose et une tasse de sucre. Porter à ébullition.

3 Entailler au couteau la figue et la faire pocher durant 2 minutes dans la casserole. Retirer du feu et réserver au froid.

4 Battre l'œuf.

5 Tremper la branche de romarin dans l'œuf battu, puis dans la chapelure. Dans une petite poêle, faire chauffer à feu vif ⅓ tasse d'huile végétale et faire frire la branche de romarin pendant 1 minute. Éponger et assaisonner, au goût.

6 Couper la branche de romarin en petits tronçons.

7 Dans une petite casserole, incorporer 4 cuillérées à thé d'eau et ⅔ tasse de sucre. Porter à ébullition.

8 Ajouter la noix de coco et la laisser cuire jusqu'à ce qu'elle prenne une légère coloration.

9 Dans une cuillère de service, déposer un petit cube de mozzarella. Ajouter quelques gouttes d'huile de lavande, un quartier de figue pochée, un tronçon de romarin frit, un soupçon de noix de coco torréfiée, ainsi que deux gouttes de moût de figue.

JEAN-FRANÇOIS CORMIER

BISTRO BIENVILLE
4650, rue De Mentana
Montréal (Québec) H2J 3B9
514 509-1269   www. bistrobienville.com

BIENVILLE CHABANEL
235, rue Chabanel,
Montréal (Québec) H2N 1G3
514 507-1235   www. bienvillesurchabanel.com

Le chef Jean-François Cormier, son épouse, Nathalie Grégoire, le chef Sébastien Harrisson Cloutier et Francis Arkinson tiennent la barque du Bistro Bienville, dans un coin retiré du Plateau Mont-Royal, sur la rue de Mentana. Fondé en 2006, le petit bistro branché offre un décor des plus zen. Certains soirs, on peut admirer le chef Cormier à l'œuvre dans sa cuisine ouverte aux regards des convives. Au menu, on offre, entre autres, des brunchs composés à partir d'ingrédients de choix et préparés selon la formule bistro. Dans la préparation de tous ses mets, le chef n'a qu'un credo : la qualité avant la quantité. Les plats suivent le rythme des saisons et les aliments qu'elles apportent. La carte des vins est composée de bouteilles d'importation privée venant des quatre coins de la planète.

D'aussi loin qu'il se souvienne, le chef Cormier a toujours voulu pratiquer ce métier. Pour son premier boulot, il a travaillé dans la cuisine du couvent des sœurs de Marie Réparatrice. Il a ensuite poursuivi son parcours à l'Institut de tourisme et d'hôtellerie du Québec et a suivi un stage au restaurant Chez l'Épicier, qui venait d'ouvrir ses portes. Deux ans plus tard, il a fait la rencontre de Martin Picard et s'est joint à l'équipe du restaurant Le Pied de Cochon qui venait de naître. Par la suite, il a fait ses classes avec Mostafa Rougaïbi de La Colombe pendant deux ans. C'est là qu'il a appris comment fonctionne un restaurant au jour le jour et il a pris goût à cet aspect de la profession. Il a ensuite fait un séjour au Continental comme sous-chef, puis comme chef, jusqu'à ce qu'un incendie détruise l'établissement. Voulant prendre un virage vers un restaurant plus petit, il a acheté, avec sa conjointe, une maison située sur le Plateau vendue par un ami. C'est en voulant allier vie de famille et harmonie avec les résidents du quartier que l'idée du petit bistro a pris vie. En 2010, l'équipe a fondé un deuxième restaurant rue Chabanel, dans l'arrondissement d'Ahuntsic. Au Bistro Bienville, le chef donne aussi des ateliers de cuisine et offre ses services traiteur.

Sloppy Joe

POUR :
4 À 8 PERSONNES

TEMPS DE PRÉPARATION :
10 MINUTES

TEMPS DE CUISSON :
45 MINUTES

INGRÉDIENTS

- 4 petits pains baguettes individuels
- 2 carottes
- 1 poivron rouge
- 2 branches de céleri
- 2 c. à s. (30 ml) de cumin en poudre
- 1 (796 ml) canne de conserve de tomates concassées
- 1 ½ tasse (375 ml) de tofu émietté
- 2 c. à s. (30 ml) de coriandre fraîche
- ½ c. à thé (2,5 ml) de pâte de piment
- 1 tasse (250 ml) de haricots rouges cuits
- 1 tasse (250 ml) de lentilles vertes cuites
- 2 c. à s. (30 ml) d'huile d'olive
- Laitue émincée, au goût
- Fromage râpé, au goût

1 Couper les carottes, le poivron et les branches de céleri en petits dés.

2 Dans une grande poêle, faire chauffer l'huile d'olive. Incorporer les petits dés de carotte, de poivron rouge et de céleri, et faire suer durant 4 à 5 minutes.

3 Ajouter le cumin en poudre, les tomates concassées, le tofu émietté, la coriandre, la pâte de piment, les haricots et les lentilles. Laisser mijoter durant 45 minutes, en remuant occasionnellement.

4 Servir généreusement sur les pains baguettes grillés, et garnir de laitue et de fromage, au goût.

SUGGESTION DE LA SOMMELIÈRE

Duvel
bière de type ale forte
(Belgique)

Tout comme pour son frère le Sloppy Jœ, je ne peux faire fi de l'origine de ce plat… Je me dois de vous suggérer à nouveau une bière ! Voici ici un classique de mon répertoire de bières. Je l'aime pour sa puissance et sa finesse, son amertume présente, mais modérée. Je vous propose, de Belgique, pays de la bière, la Duvel. C'est une blonde classique que j'aime pour son bel équilibre ; avec notre tofu burger, elle saura garder les papilles bien éveillées.

Alternative : votre bière blonde favorite !

CODE SAQ 194431 - 3,20 $

Burger au Tofu

POUR :
4 PERSONNES

TEMPS DE PRÉPARATION :
10 MINUTES

TEMPS DE CUISSON :
3 MINUTES

TEMPS D'ATTENTE :
24 HEURES

BURGERS

4 pains pour hamburgers
1 c. à s. (15 ml) de piments chipotles
1 tasse (250 ml) de mayonnaise
1 avocat mûr
4 tranches de tofu ferme d'un demi-pouce d'épaisseur
Pousses de pois

1 Hacher les piments chipotles et bien les mélanger avec la mayonnaise. Réserver.

2 Réduire l'avocat en purée. Réserver.

3 Faire cuire les tranches de tofu marinées durant 2 à 3 minutes au BBQ ou dans la poêle. Pendant la cuisson, arroser régulièrement le tofu avec les restants de la marinade.

4 Assembler les burgers, selon les goûts, avec la purée d'avocat, la mayonnaise épicée et les pousses de pois, qu'on peut très bien remplacer par de la luzerne.

MARINADE

2 piments chipotles en conserve
1 tasse (250 ml) d'huile végétale
¼ tasse (60 ml) de vinaigre de cidre
1 c. à s. (15 ml) de tamari

1 Hacher les piments chipotles.

2 Mélanger tous les ingrédients et mariner les tranches de tofu 24 heures au réfrigérateur.

MARC-
ANDRÉ
LAVERGNE

accords

Marc-André Lavergne est le jeune chef talentueux de chez Accords, un établissement original, situé dans le Vieux-Montréal, où ce sont les mets qui s'accordent aux vins, d'où le nom du restaurant, propriété des comédiens Chantal Fontaine et Guy A. Lepage. Toute l'équipe, incluant bien sûr le chef Lavergne, est passionnée par le monde des vins. Le cellier du bar à vins déborde de bouteilles venant des quatre coins du monde, sélectionnées par le sommelier Philip Morriset. Un système efficace de conservation permet de proposer une carte de plus de 50 vins vendus au verre. La terrasse, entourée de pierres, est un incontournable pour déguster un pinard en bonne compagnie. C'est dans ce monde de rouges, de blancs et de rosés que Marc-André Lavergne conçoit et développe sa cuisine. Ses plats mettent en vedette des produits du Québec, en grande partie biologiques. L'accent est mis sur la joie des harmonies et sur la mise en valeur du côté nutritif et santé des mets. Les recettes sont simples, revigorantes, raffinées. Et comme les produits changent selon les saisons, le menu est en constante transformation.

La vocation du chef Lavergne a toujours été simple et précise : dès son jeune âge, il voulait être cuisinier. Un oncle français lui a montré les rouages du métier alors qu'il était adolescent. Il a poursuivi son apprentissage au Centre de formation professionnelle Jacques-Rousseau, en plus de suivre des cours de gestion en restauration à l'Institut de tourisme et d'hôtellerie du Québec. Son parcours s'est poursuivi auprès de divers grands chefs de la province, avant de le mener au poste de chef chez Aszù, le lieu actuel du restaurant Accords. Marc-André Lavergne y profite d'une belle liberté de création, sans restrictions. Il a pu prouver son inventivité lorsque, à l'automne 2010, la revue *Elle Québec* lui a demandé de réinventer la recette du pâté chinois, mission que le chef Lavergne a remplie avec brio.

AU CARI, HOUMOUS AUX POMMES ET ÉPINARDS

POUR : 4 PERSONNES	TEMPS DE PRÉPARATION : 30 MINUTES	TEMPS DE CUISSON : 10 MINUTES

HOUMOUS AUX POMMES ET ÉPINARDS

175 ml d'épinards frais

1 tasse (250 ml) de pois chiches cuits

1 c. à thé (5 ml) de sel

1 pomme verte, sans le cœur

Le jus d'un citron

1 c. à s. (15 ml) d'huile d'olive

Sel et poivre, au goût

1 Porter une casserole d'eau à ébullition. Ajouter la cuillérée de sel.

2 Pocher les épinards frais pendant une dizaine de secondes dans la casserole d'eau bouillante. Égoutter.

3 Au robot culinaire, mélanger les pois chiches, la pomme verte, les épinards, le jus de citron, et l'huile d'olive.

4 Assaisonner au goût. Réserver.

YOGOURT AU CARI

⅖ tasse (100 ml) de yogourt nature méditerranéen 10 %

1 c. à thé (5 ml) de cari

1 c. à thé (5 ml) de curcuma en poudre

2 c. à thé (10 ml) de sirop d'érable

Sel et poivre, au goût

1 Bien mélanger le cari, le curcuma et le sirop d'érable avec le yogourt froid.

2 Assaisonner au goût. Réserver au réfrigérateur.

SALADE TIÈDE DE POIS CHICHES

1 c. à s. (15 ml) de ciboulette fraîche

8 feuilles de menthe

1 échalote

1 pomme verte, sans le cœur

⅜ tasse (95 ml) de fèves de soya cuites

1 c. à s. (15 ml) d'huile d'olive

1 tasse (250 ml) de pois chiches cuits

1 c. à thé (5 ml) de sel

1 noix de beurre

Sel et poivre, au goût

1 Ciseler finement la ciboulette, la menthe et l'échalote.

2 Couper la pomme en fines juliennes.

3 Porter une casserole d'eau à ébullition. Ajouter la cuillérée de sel. Blanchir les fèves de soya une vingtaine de secondes.

4 Dans une poêle à feu moyen-élevé, faire fondre le beurre. Ajouter les pois chiches et les fèves de soya blanchies et les faire sauter durant 2 à 3 minutes. Retirer du feu et laisser refroidir quelques minutes.

5 Dans un bol à salade, mélanger l'échalote, la ciboulette, la menthe, les juliennes de pomme verte, les pois chiches et les fèves de soya. Ajouter l'huile d'olive et assaisonner au goût. Réserver.

CRÊPES SALÉES AU CARI

1 tasse (250 ml) de farine blanche
2 c. à thé (10 ml) de levure artificielle
1 c. à thé (5 ml) de cari
1 c. a thé (5 ml) de curcuma
2 œufs
⅗ tasse (150 ml) de lait
Set et poivre
Huile d'olive

1 Dans un grand bol, mélanger la farine, la levure artificielle, le cari et le curcuma.

2 Ajouter les œufs et le lait. Fouetter jusqu'à l'obtention d'une texture lisse. Assaisonner au goût.

3 Dans une grosse poêle, faire chauffer un peu d'huile d'olive. Lorsque la poêle est chaude, y verser séparément trois grosses cuillérées de mélange à crêpe, de façon à faire trois petites crêpes par personne. Faire cuire jusqu'à l'obtention d'une surface dorée, environ 2 à 3 minutes de chaque côté de la crêpe.

4 Pour le montage final, déposer une première crêpe au centre de l'assiette et la tartiner d'humus aux pommes et épinards. Ajouter la salade tiède de pois chiches. Faire un second étage identique, en terminant avec la troisième crêpe sur le dessus. Accompagner de yogourt au cari.

SUGGESTION DE LA SOMMELIÈRE

**Château Lichten
Rouvinez Petite Arvine (Suisse)**

On a affaire ici à un plat travaillé où se mélangent plusieurs saveurs : pommes, cari, pois chiches, yogourt, curcuma... un défi sympathique pour la sommelière! Ne reculant devant rien, je vous propose de découvrir un cépage suisse au joli nom : Petite Arvine. Très bien travaillé par Rouvinez, ce vin offre de belles notes de miel et de pomme cuite. Il a de la rondeur, mais est sans lourdeur. Un accord audacieux, qui vaut définitivement le détour.

Alternative : un pinot gris alsacien.

CODE SAQ 10867599 – 32,75 $

SUGGESTION DE LA SOMMELIÈRE

**Heitz Cellar
Chardonnay
Napa Valley (États-Unis)**

Le travail de la betterave crue combinée au fromage de chèvre est une façon originale de revoir notre épi sous un autre angle. Je vous propose, pour accompagner cette recette, un chardonnay américain de la maison Heitz. Celui-ci est boisé avec modération et offre juste assez de texture pour pouvoir s'amuser avec ce plat. On l'aime pour son équilibre et ses belles notes de fruits blancs mûrs.

*Alternative : un chardonnay de Californie
pas trop boisé.*

CODE SAQ 11098816 - 31,00 $

Salade de maïs

BETTERAVES ET CHÈVRE, COULIS DE CRÈME DE MAÏS CRÉMEUSE

POUR :	TEMPS DE PRÉPARATION :	TEMPS DE CUISSON :
4 PERSONNES	15 MINUTES	20 MINUTES

CRÈME DE MAÏS

⅗ tasse (150 ml) de crème 35 %

⅗ tasse (150 ml) de maïs frais

¼ tasse (50 g) de fromage de chèvre

Sel et poivre, au goût

1 Dans une petite casserole, faire chauffer le maïs et la crème à feu doux. Laisser infuser durant 20 minutes.

2 Retirer du feu et passer ensuite au robot culinaire, en ajoutant le fromage de chèvre.

3 Assaisonner au goût.

4 Verser quelques cuillérées de crème de maïs chaude sur la salade, au goût, et servir immédiatement. Accompagner d'un épi de blé d'Inde grillé sur le barbecue.

SALADE FROIDE

2 betteraves jaunes moyennes

2 betteraves Chioggia moyennes

1 tasse (250 ml) de maïs en grain

2 échalotes ciselées

⅔ tasse (135 g) de fromage de chèvre à température ambiante

1 c. à s. (15 ml) d'huile d'olive

Sel et poivre, au goût

1 Éplucher les betteraves et les couper en juliennes minces.

2 Dans un bol à salade, mélanger les juliennes de betteraves crues, les échalotes ciselées et le maïs.

3 Ajouter le fromage de chèvre crémeux et l'huile d'olive. Bien mélanger.

4 Assaisonner au goût.

Terrine d'aubergines

PURÉE DE CHOU-FLEUR ET CHAMPIGNONS SAUVAGES

POUR : 4 PERSONNES	TEMPS DE PRÉPARATION : 10 MINUTES	TEMPS DE CUISSON : 40 MINUTES	TEMPS D'ATTENTE : 20 MINUTES

TERRINE D'AUBERGINES

4 grosses aubergines
1 gousse d'ail
3 tiges de thym frais
2 tasses (500 ml) de champignons porcini surgelés
1 ⅓ tasse (300 ml) de crème 35 %
4 œufs
⅖ tasse (100 ml) de lait

1 Préchauffer le four à 400 °F.

2 Asperger les aubergines entières d'huile d'olive.

3 Sur une grande plaque, faire cuire au four les aubergines entières et l'ail pendant 20 minutes.

4 À chaud, ouvrir les aubergines en deux dans le sens de la longueur, et récupérer la chair à l'aide d'une cuillère, sans abimer la peau. Conserver la peau la plus intacte possible.

5 Au robot culinaire, réduire la chair d'aubergine en purée. Ajouter l'ail, le thym, les champignons dégelés, la crème, le lait et les œufs. Bien mélanger jusqu'à obtention d'une texture homogène.

6 Couper les peaux d'aubergines dans le sens de la longueur en languettes de 2 cm de largeur. Disposer en quadrillage en intercalant les côtés intérieurs et extérieurs.

7 Chemiser un moule avec ce quadrillage et recouvrir les côtés du moule de peaux d'aubergine.

8 Verser la purée d'aubergines dans le moule.

9 Cuire au bain-marie pendant 40 minutes, dans un four préalablement chauffé à 300 °F. La terrine est cuite lorsque la pointe d'un couteau en ressort propre.

10 Servir immédiatement avec la purée de chou-fleur et les champignons sauvages.

PURÉE DE CHOU-FLEUR ET CHAMPIGNONS SAUVAGES

1 chou-fleur
1 c. à thé (5 ml) de sel
1 tasse (80 g) de champignons shiitake ou pleurotes
½ tasse (125 ml) de noix de pin
1 c. à s. (15 ml) d'huile d'olive
Sel et poivre, au goût

1 Porter une casserole remplie d'eau à ébullition. Ajouter le sel.

2 Tailler grossièrement le chou-fleur et le faire cuire à l'eau bouillante une dizaine de minutes, jusqu'à ce qu'il soit tendre.

3 Au robot culinaire, réduire le chou-fleur en purée. Assaisonner au goût.

4 Dans une poêle, faire chauffer l'huile d'olive à feu moyen. Faire sauter les champignons et les noix de pin de 2 à 3 minutes.

5 Servir immédiatement la purée de chou-fleur et les champignons avec la terrine d'aubergine.

PORTUS CALLE

4281, boulevard Saint-Laurent, Montréal (Québec) H2W 1Z4   514 849-2070   www.portuscalle.ca

Helena Loureiro, chef et propriétaire du Portus Calle, une authentique adresse portugaise située sur le boulevard Saint-Laurent à Montréal, dirige une cuisine qui évoque le partage et qui nous propulse en quelques bouchées sur les côtes méditerranéennes. La salle à manger de son restaurant offre une vue spectaculaire sur la cuisine ouverte aux regards, où Helena et son équipe s'affairent à créer de délicieuses *petiscos*, les tapas portugaises, confectionnées principalement avec des produits naturels. En plus des authentiques plats portugais préparés «à la Loureiro» et mis au menu du restaurant, Helena aime avant tout travailler les poissons et les fruits de mer, selon les arrivages du jour; calmars, morue, lotte, maquereau, sole, pieuvre, crevettes, et autres sont toujours apprêtés de façon simple et traditionnelle et se dégustent aussi bien en tapas qu'en plats principaux. Ses créations culinaires traditionnelles du Portugal font place aux produits du terroir québécois, des légumes du marché jusqu'aux pétoncles des Îles de la Madeleine.

Helena a amorcé son parcours culinaire à l'âge de 11 ans, dans le restaurant familial de sa grand-mère et de sa tante. Quelques années plus tard, c'est à Lisbonne, la capitale du Portugal et la plus grande ville du pays, qu'elle entreprend des études spécialisées en cuisine, avant de revenir à Montréal compléter une formation à l'Institut de tourisme et d'hôtellerie du Québec. Son restaurant possède aujourd'hui l'une des plus belles caves à vins portugais et portos au pays, avec quelque 7000 bouteilles au cellier dont près de 95 % d'importations privées. Chaque région du pays natal de la chef y est représentée. Faire un saut chez Portus Calle, c'est avoir le loisir de terminer le repas avec des fromages et desserts portugais, et de se laisser transporter dans le Douro, un verre de vin à la main. C'est aussi l'occasion de se procurer des produits d'importation portugaise, comme de l'huile d'olive au sel de mer, les conserves de poisson et le miel.

Salade de gourganes

POUR :
4 PERSONNES

TEMPS DE PRÉPARATION :
30 MINUTES

TEMPS D'ATTENTE :
12 MINUTES

INGRÉDIENTS

1 (500 g)	grosse conserve de gourganes cuites
2	œufs
3 c. à s. (45 ml)	de beurre
1	orange (ou 2 clémentines)
½ tasse (125 ml)	de fraises
3 c. à s. (45 ml)	de menthe fraîche
2 c. à s. (30 ml)	de coriandre fraîche
3 c. à s. (45 ml)	d'huile d'olive
	Sel et poivre, au goût

1 Porter une casserole remplie d'eau à ébullition. Y déposer les œufs non cassés et les faire cuire durant 8 minutes. Retirer du feu et laisser refroidir dans l'eau de cuisson.

2 Pendant ce temps, nettoyer les gourganes de leur peau.

3 Dans une grande poêle, faire fondre le beurre à feu moyen. Incorporer les gourganes et les faire sauter de 2 à 3 minutes en remuant occasionnellement, jusqu'à ce qu'elles soient tendres et légèrement croustillantes. Laisser refroidir quelques minutes.

4 Ciseler la menthe et la coriandre.

5 Couper l'orange ou les clémentines en quartiers.

6 Couper les fraises en deux.

7 Dans un grand bol à salade, mélanger les gourganes tièdes, la menthe, la coriandre, les quartiers d'orange ou de clémentine et l'huile d'olive. Ajouter le sel et le poivre, au goût.

8 Décorer avec les œufs cuits, préalablement écaillés et tranchés.

Ragoût de pois chiches

ŒUFS POCHÉS ET PAIN BAGUETTE

POUR :	TEMPS DE PRÉPARATION :	TEMPS DE CUISSON :	TEMPS D'ATTENTE :
4 PERSONNES	10 MINUTES	20 MINUTES	45 MINUTES

INGRÉDIENTS

4	œufs
2 ½ tasses (500 g)	de pois chiches cuits
1 c. à thé (5 ml)	de sel
3	oignons
3	tomates
2	tranches de pain baguette
5 c. à s. (75 ml)	d'huile d'olive
1	feuille de laurier
1 c. à thé (5 ml)	de sauce piri-piri
3 c. à s. (45 ml)	de persil frais
	Sel et poivre, au goût

1 Faire chauffer une casserole remplie d'eau à feu moyen. Ajouter la cuillérée de sel.

2 Ajouter 2 oignons coupés en deux, 2 cuillérées d'huile d'olive et les pois chiches. Laisser cuire pendant 45 minutes.

3 Couper le troisième oignon en brunoise (petits dés) et hacher le persil frais.

4 Épépiner et couper les tomates en dés.

5 Dans une grande poêle, faire chauffer le restant de l'huile d'olive à feu moyen-élevé. Ajouter l'oignon en dés et le persil frais. Faire revenir durant 4 à 5 minutes.

6 Ajouter les tomates et les pois chiches égouttés.

7 Incorporer 2 cuillérées à soupe d'eau de cuisson des pois chiches.

8 Ajouter la sauce piri-piri, puis saler et poivrer au goût. Bien mélanger.

9 Laisser réduire pendant 5 minutes.

10 Casser délicatement les œufs dans le ragoût et les laisser pocher de 2 à 3 minutes. Les retirer et réserver.

11 Faire griller le pain et le déposer au centre d'une grande assiette de service.

12 Verser le ragoût dans l'assiette et déposer les œufs sur le ragoût. Servir immédiatement.

À défaut d'avoir sous la main de la sauce piri-piri, on peut la remplacer par de la sauce aux piments forts.

MARC
DE CANCK

Marc De Canck tient le fort de La Chronique depuis 1995, dans un petit local de l'avenue Laurier. Très intime, l'ambiance est confortable et détendue. Le chef De Canck, d'origine belge, est en pleine possession de ses moyens dans sa cuisine. Il fait preuve d'un savoir-faire indéniable, et est solidement appuyé par son complice, Olivier de Montigny, son beau-fils, qui s'est joint à l'équipe en 2000 et s'est associé au chef en 2005. Ils s'amusent généreusement à créer des plats inouïs, inspirés à la fois par la cuisine française et par la nouvelle cuisine américaine. La confection des plats se déroule avec doigté et raffinement, avec des ingrédients frais, tant régionaux qu'exotiques. La cave de La Chronique est garnie de 300 vins de référence. Le service du fromage est sans rival; le pain et les desserts se démarquent tout autant.

Marc De Canck est issu d'une famille de pâtissiers. Dès sa tendre enfance, il est pris de passion pour les desserts, dont les secrets se transmettent de père en fils. Apprenti, puis pâtissier-boulanger, il a appris son métier en travaillant dans les restaurants, ici et là, pour finalement devenir un cuisinier en bonne et due forme. Trouvant les conventions gastronomiques européennes trop étouffantes, il s'installe au Québec après avoir trotté autour du globe à la recherche d'un lieu aux normes moins rigides. Il occupe alors le rôle de chef du Manoir Hovey, à North Hatley. Pour sa part, le jeune Olivier de Montigny a fait son apprentissage en accompagnant sa mère dans les cuisines du restaurant où elle travaillait. Depuis que les deux chefs se sont associés, leur travail d'équipe, où la jeunesse se conjugue avec l'expérience, donne au final un résultat sans équivoque. La Chronique a été nommée meilleur restaurant de l'année à Montréal en 2009 par le chroniqueur culinaire Thierry Daraize. Le restaurant s'est également retrouvé en première position du palmarès de l'édition 2009-2010 du guide ZAGAT des restaurants de Montréal. En 1999, Marc De Canck a reçu le Prix Roger Champoux de la Fondation des amis de l'art culinaire. Les deux chefs ont aussi reçu le deuxième prix en 1998 au concours Les Toqués de Natrel dans la catégorie «plats principaux» et le premier prix dans la catégorie «dessert» en 1997. L'étoile de la gastronomie du Gala des Chefs Chartons-Hobbs leur a été décernée en 1998. En 1999, le chef De Canck publie *La Chronique aux saveurs d'ici et d'ailleurs*.

AUX YUKON GOLD, FROMAGE COMTÉ ET MORILLES

POUR :	TEMPS DE PRÉPARATION :	TEMPS DE CUISSON :
4 PERSONNES	10 MINUTES	15 MINUTES

INGRÉDIENTS

- 3 pommes de terre Yukon Gold de taille moyenne
- 18 morilles
- 1 ⅓ tasse (200 g) de fromage Comté
- ½ tasse (125 ml) de crème 35 %
- 2 c. à s. (30 ml) de ciboulette
- 18 lamelles de fromage Comté pour la garniture
- 1 c. à thé (5 ml) de sel
- Sel et poivre, au goût

1 Éplucher les pommes de terre et les couper en brunoise (petits dés).

2 Déposer temporairement la brunoise de pommes de terre dans un bol d'eau froide.

3 Dans une casserole, faire bouillir de l'eau. Ajouter la cuillérée à thé de sel.

4 Incorporer la brunoise de pommes de terre dans l'eau bouillante. Laisser pocher durant 2 minutes.

5 Égoutter et réserver les pommes de terre, tout en conservant l'eau bouillante de cuisson pour les morilles.

6 Pocher les morilles durant 2 minutes dans l'eau bouillante. Égoutter et réserver.

7 Couper le fromage Comté en morceaux de la même taille que les pommes de terre.

8 Dans une grande poêle, faire chauffer la crème et les morilles à feu moyen. Assaisonner généreusement de sel et de poivre. Laisser la crème réduire durant 5 à 7 minutes.

9 Ajouter les pommes de terre et le fromage dans la poêle. Bien mélanger.

10 Hacher la ciboulette et l'incorporer au faux risotto. Servir immédiatement et garnir de lamelles de fromage Comté.

Brewer-Clifton
Chardonnay Mount Carmel
(États-Unis)

Morilles, Comté et crème seront ici les éléments de
départ de mon harmonie. Ce plat m'amène à un accord
en chardonnay ensoleillé à forte personnalité. Dans cet
ordre d'idées, je vous propose un vin de la région de Santa
Rita, située dans le sud de la Califronie : le Chardonnay
de Brewer Clifton. Riche sans excès et beurré juste ce
qu'il faut, il saura tenir tête de belle façon à un plat
qui ne manque pas de caractère.

Alternative : un chardonnay de caractère
du Nouveau Monde.

CODE SAQ 11368855 - 67,25 $

Tagliatelles de salsifis

AU VIN JAUNE ET CHAMPIGNONS

POUR : 4 PERSONNES	TEMPS DE PRÉPARATION : 10 MINUTES	TEMPS D'ATTENTE : 30 MINUTES

INGRÉDIENTS

8 salsifis

Le jus d'un citron

8 tasses (2 L) d'eau froide

4 c. à s. (60 ml) de vinaigre

⅕ tasse (50 ml) de vin jaune

½ tasse (125 ml) de crème 35 %

2 ½ tasses (200 g) de champignons *honey*

2 c. à s. (30 ml) de ciboulette fraîche

2 c. à s. (30 ml) de parmesan râpé

Sel et poivre, au goût

1 Éplucher les salsifis de façon à retirer toute la peau noire.

2 Dans un grand bol, incorporer le jus de citron et l'eau. Faire tremper les salsifis.

3 Égoutter les salsifis et les éplucher jusqu'au cœur, à l'aide d'un petit économe, de façon à obtenir les tagliatelles.

4 Dans une poêle, porter à ébullition le vin jaune et la crème. Laisser réduire le liquide de moitié.

5 Ajouter les champignons, grossièrement coupés. Continuer la cuisson durant 1 minute.

6 Assaisonner au goût.

7 Porter une casserole d'eau à ébullition et pocher les tagliatelles de salsifis pendant 30 secondes.

8 Égoutter les tagliatelles et les incorporer à la sauce.

9 Ajouter la ciboulette hachée et le parmesan.

10 Servir immédiatement, dans un bol à pâte.

Il était une fois

UNE SALADE DE POIS AUX PETITS POIS ET PETITS POIS

POUR :	TEMPS DE PRÉPARATION :	TEMPS DE CUISSON :	TEMPS D'ATTENTE :
4 PERSONNES	10 MINUTES	5 MINUTES	20 MINUTES

INGRÉDIENTS

½ tasse (60 g) de pois verts

1 grosse poignée de pois mange-tout

1 petite poignée de pousse de pois

12 vrilles de pois

½ tasse (60 g) de pistaches

⅔ tasse (100 g) de chocolat blanc

2 c. à s. (30 ml) de pétales de rose séchés

1 c. à thé (5 ml) de gros sel

Huile de pistache, au goût

Huile d'olive, au goût

Sel et poivre, au goût

1 Sur une grande plaque préalablement recouverte de papier ciré, placer le chocolat blanc et le saupoudrer de pétales de rose séchés. Mettre au froid durant 20 minutes.

2 Dans une poêle à feu moyen-élevé, faire rôtir à sec les pistaches (sans écailles) durant environ 2 minutes. Réserver.

3 Porter à ébullition une casserole remplie d'eau. Ajouter le gros sel.

4 Pendant ce temps, trancher les pois mange-tout en juliennes.

5 Blanchir pendant une minute les juliennes de pois mange-tout et les pois verts dans l'eau salée. Les retirer immédiatement du feu et les déposer dans un grand bol d'eau glacée, afin de stopper la cuisson. Retirer de l'eau glacée et laisser refroidir environ 5 minutes.

6 Dans un saladier, faire un méli-mélo de tous les légumes. Assaisonner d'huile de pistache, d'huile d'olive, de sel et de poivre, au goût.

7 Ajouter les pistaches et les morceaux de chocolat blanc. Décorer de pétales de rose.

SUGGESTION DE LA SOMMELIÈRE

Domäne Wachau
Riesling Federspiel Terrassen
(Autriche)

Voici une salade très coquette avec ses pétales de rose
et son chocolat blanc. Ce mélange de saveurs pour le moins
surprenant appelle un vin qui aura la fraîcheur nécessaire
pour mettre en valeur les petits pois sous toutes leurs formes,
mais qui aura aussi l'audace de tenir tête au chocolat blanc.
Je mets ici au défi le riesling autrichien du Domaine
Wachau, qui, avec sa personnalité fraîche et sa belle
maturité, pourra s'amuser avec cette salade.

Alternative : un riesling allemand jeune,
frais et pimpant !

CODE SAQ 11034775 - 18,35 $

Nick Hodge est le chef et copropriétaire du restaurant Kitchenette, un bistro haut de gamme à saveur tex-mex, situé directement en face de la tour de Radio-Canada sur le boulevard René-Lévesque Est à Montréal. Réputé grâce à son chef qui a créé le meilleur taco au poisson de la province, Kitchenette est rapidement devenu un incontournable pour son *fish and chips* du vendredi midi. On y propose une cuisine vivante, éclatée, variée, originale, séduisante, ni conventionnelle ni formaliste. Son chef éclectique s'inspire de nombreux classiques qu'il actualise, colore et rend incroyablement délicieux. En d'autres mots, il part d'assises traditionnelles pour créer une cuisine contemporaine. Nick est un chef qui aime s'amuser et sortir des sentiers battus et qui, dans un même mouvement, concocte des plats qui atteignent des sommets de qualité et de sophistication. Voilà la preuve que la cuisine demeure pour lui une science sérieuse.

Fondé en 2008, Kitchenette est issu d'une charmante histoire d'amour. Originaire de Houston au Texas, Nick a grandi au cœur de la culture et de la gastronomie du sud des États-Unis. Il n'avait certainement pas prévu qu'il tomberait amoureux d'une Québécoise qu'il allait épouser et qui allait devenir sa partenaire d'affaires, après qu'il eut passé des années à parfaire sa formation dans différentes cuisines de notre métropole et à travailler comme traiteur privé. Les racines et origines de Nick se font sentir dans sa cuisine. Il admet sans pudeur ne jurer que par les tacos, son met préféré, en plus de ne manger pratiquement aucune viande rouge. Le résultat, original et unique, marie les saveurs, couleurs et textures de la cuisine de l'enfance du chef avec sa créativité moderne. Nick offre également, via son restaurant, ses services de traiteur privé et corporatif.

AUBERGINES MARINÉES ET GRILLÉES

1 aubergine asiatique

1 c. à s. (15 ml) d'origan frais
(ou ½ c. à s. (7,5 ml)
d'origan sec)

1 c. à s. (15 ml) de vinaigre balsamique

3 c. à s. (45 ml) d'huile d'olive

Sel et poivre

1 À l'aide d'une mandoline ou d'un couteau bien aiguisé, trancher l'aubergine dans le sens de la longueur, en morceaux d'environ ¼ de pouce d'épaisseur.

2 Dans un grand bol, mélanger l'origan, le vinaigre balsamique, l'huile d'olive, ainsi que le sel et le poivre, au goût. Y déposer les tranches d'aubergine et bien mélanger.

3 Laisser mariner durant environ une heure.

4 Sur le barbecue ou dans une poêle à haute température, griller les tranches d'aubergine 2 à 3 minutes de chaque côté. Réserver à la température de la pièce, jusqu'au moment de l'assemblage.

PANISSE

4 tasses (1 L) d'eau

4 c. à s. (60 ml) d'huile d'olive

2 tasses (500 ml) de farine de pois chiches

1 c. à s. (15 ml) de graines de cumin grillées

½ tasse (125 ml) d'huile de canola

Sel et poivre

1 Faire bouillir l'eau avec l'huile d'olive.

2 Incorporer graduellement la farine de pois chiches, tout en fouettant, et faire cuire durant environ 5 minutes à feu moyen-doux, de façon à éliminer les grumeaux.

3 Ajouter les graines de cumin, de même que le sel et le poivre, au goût.

4 Sur une plaque à biscuits, préalablement couverte d'une pellicule de plastique, verser le mélange en l'étalant de façon homogène et égale. Plier ensuite les côtés de la pellicule de plastique de façon à contenir le mélange et former un rectangle d'environ 1 pouce d'épaisseur.

5 Placer le tout au réfrigérateur une heure, le temps que la panisse devienne ferme.

6 Lorsque la panisse est ferme, la couper en rectangles de la même grandeur que les tranches d'aubergine. Si désiré, utiliser un emporte-pièce pour y faire des formes circulaires.

7 Faire frire les morceaux de panisse dans l'huile de canola préalablement chauffée dans une poêle à température moyenne-élevée, jusqu'à ce qu'ils soient dorés de chaque côté. Réserver au four à basse température.

HOUMOUS AUX DOLIQUES À ŒIL NOIR

2 tasses (500 ml) de doliques à œil noir cuites

¼ tasse (60 ml) de coriandre fraîche

½ jalapeno

¼ tasse (60 ml) d'huile d'olive

1 tasse (250 ml) de tahini

Le jus d'un citron

Sel et poivre

1 Au mélangeur, combiner tous les ingrédients jusqu'à ce qu'ils forment une pâte homogène et lisse.

2 Rectifier l'assaisonnement.

PEPERONATA (COMPOTÉE DE POIVRONS)

1 poivron rouge

1 poivron jaune

1 oignon espagnol, coupé grossièrement

2 c. à s. de pâte de tomate

2 gousses d'ail

2 tasses (500 ml) de bouillon de légumes

2 branches de thym frais

2 feuilles de laurier

Sel et poivre

1 Couper grossièrement les poivrons.

2 Dans une poêle à fond profond, faire cuire tous les ingrédients à feu moyen, environ 30 minutes, jusqu'au moment où le liquide ait réduit de moitié.

3 Retirer les branches de thym et les feuilles de laurier.

4 Au mélangeur, passer tous les ingrédients restants, de façon à obtenir une sauce homogène.

5 Rectifier l'assaisonnement.

ASSEMBLAGE

Dans une assiette, étendre une mince couche de houmous. À l'aide d'une cuillère, verser la sauce peperonata. Déposer ensuite les tranches d'aubergine et les morceaux de panisse, en alternance, sur le houmous. Parsemer de persil frais et d'huile d'olive de qualité.

Panzanella

POUR :	TEMPS DE PRÉPARATION :	TEMPS DE CUISSON :
4 PERSONNES	20 MINUTES	10 MINUTES

PANZANELLA DE TOMATES

1 tasse (250 ml) de farine de maïs
½ tasse (125 ml) de farine blanche
1 c. à thé (5 ml) de poudre d'ail
1 c. à thé (5 ml) de poudre d'oignon
1 c. à thé (5 ml) de poivre
1 pincée de poudre de Cayenne
1 pincée de sel
2 tasses (500 ml) de babeurre (lait battu)
4 tomates vertes de taille moyenne
4 à 6 tomates anciennes
½ oignon doux (Vidalia), coupé en juliennes
3 tasses (750 ml) de roquette fraîche
1 tasse (250 ml) d'huile de canola

1 Dans un bol, combiner la farine de maïs, la farine blanche, ainsi que les épices sèches.

2 Dans un second bol, verser le lait battu (babeurre).

3 Trancher les tomates vertes en morceaux d'environ ¼ de pouce d'épaisseur et les tremper dans le lait battu, avant de les déposer dans le premier bol contenant les farines et épices, afin de les recouvrir complètement.

4 Dans une poêle, à feu élevé, faire chauffer l'huile canola et y faire frire les tomates vertes environ 3 minutes de chaque côté, jusqu'à ce qu'elles soient dorées. Réserver.

VINAIGRETTE VERTE DES DIEUX

1 avocat mûr
1 échalote, coupée en deux
1 tasse (250 ml) de coriandre fraîche
½ jalapeno
½ tasse (125 ml) de vinaigre de vin rouge
1 tasse (250 ml) d'huile d'olive
½ tasse (125 ml) de crème sure
Le jus d'un citron
Sel et poivre, au goût

1 À l'exception de l'huile d'olive, combiner tous les ingrédients avec un mélangeur électrique, jusqu'à la formation d'une texture lisse et crémeuse.

2 Tout en gardant le mélangeur activé, verser graduellement et lentement l'huile d'olive, afin de l'incorporer de façon homogène à la vinaigrette.

3 Ajouter le sel et le poivre, au goût.

ASSEMBLAGE

Trancher les tomates anciennes en morceaux d'environ ¼ de pouce d'épaisseur, et les assembler avec les juliennes d'oignon doux, la roquette fraîche et la vinaigrette. En alternance, déposer les tranches de tomates vertes frites et de tomates anciennes. En guise de finition, ajouter un filet d'huile d'olive de bonne qualité et un soupçon de fleur de sel.

SUGGESTION DE LA SOMMELIÈRE

**Sagramoso Ripasso
Valpolicella Superiore Classico
(Italie)**

Je vous propose ici une appellation bien connue et appréciée des Québécois : Valpolicella Ripasso de la maison Pasqua. Ce vin rouge léger, texturé et frais, qui nous vient du pays de Roméo et Juliette (la Vénétie pour les moins romantiques !) saura vous charmer. Attention, il se boit sans soif, et avec une panzanella, il fera un malheur !

*Alternative : un rouge léger,
italien de préférence.*

CODE SAQ 602342 - 21,75 $

Gnocchi's

AUX PATATES DOUCES, PACANES ÉPICÉES AU BEURRE ET GREMOLATA

POUR : 4 PERSONNES	TEMPS DE PRÉPARATION : 45 MINUTES	TEMPS DE CUISSON : 30 MINUTES	TEMPS D'ATTENTE : 45 MINUTES

GNOCCHIS

2 patates douces
1 ½ tasse (375 ml) de fromage ricotta frais
1 tasse (250 ml) de parmesan frais râpé
2 c. à s. (30 ml) de cassonade
2 c. à thé (10 ml)
+ 2 c. à thé (30 ml) de sel
½ c. à thé (2,5 ml) de noix de muscade moulue
2 ¾ tasses (316 g) de farine

1 Préchauffer le four à 350 °F. Sur une plaque allant au four, placer les patates douces entières et les faire cuire durant 45 minutes ou jusqu'à ce qu'elles deviennent tendres.

2 Retirer ensuite la peau des patates douces, et les réduire en purée au robot culinaire.

3 Transférer 3 tasses (750ml) de cette purée dans un grand bol et incorporer le fromage ricotta, le parmesan râpé, la cassonade, 2 cuillérées à thé de sel et la noix de muscade moulue. Bien mélanger.

4 Ajouter la farine, une demi-tasse à la fois, en mélangeant bien, jusqu'à l'obtention d'une pâte homogène. Au besoin, ajouter davantage de farine ou un peu d'eau.

5 À la main, sur une surface de travail bien farinée, former une belle pâte ferme.

6 Couper la pâte en 6 parts. À la main, rouler un premier morceau afin de lui donner la forme d'un serpent d'un pouce de circonférence. Bien fariner la pâte si elle devient collante. Au couteau, détailler délicatement une vingtaine de petites pièces d'un centimètre de longueur. Déposer ces pièces sur une grande plaque farinée. Répéter ces opérations avec les autres morceaux de pâte.

7 Dans une grande casserole, porter l'eau à ébullition. Ajouter 2 cuillérées de sel et incorporer les gnocchis, en prenant bien soin de ne pas stopper l'ébullition. Les gnocchis sont suffisamment blanchis lorsqu'ils remontent à la surface, 5 à 6 minutes plus tard.

8 Dans une grande poêle, à feu moyen, faire chauffer 3 cuillérées de beurre noisette épicé (voir recette ci-contre). Incorporer les gnocchis et les faire dorer doucement, 5 à 6 minutes. Servir immédiatement avec les pacanes épicées au beurre et la gremolata.

PACANES ÉPICÉES AU BEURRE

½ tasse (125 ml) de beurre
2 c. à s. (30 ml) de cassonade
1 c. à thé (5 ml) de poudre de Cayenne
1 c. à thé (5 ml) de poivre
2 ½ tasses (625 ml) de pacanes
Fleur de sel, au goût

1 Dans une grande poêle, faire fondre le beurre à feu moyen. Ajouter la cassonade, la poudre de Cayenne et le poivre.

2 Lorsque le beurre est fondu et que tous les ingrédients sont bien mélangés, ajouter les pacanes. Laisser chauffer durant 2 à 3 minutes et s'assurer que les pacanes sont bien enduites de la préparation au beurre.

3 Transférer dans une assiette et saupoudrer de fleur de sel. Réserver jusqu'au service des gnocchis.

BEURRE NOISETTE ÉPICÉ

1 tasse (250 ml) de beurre
Purée de piments forts ou sauce piquante, au goût

1 Dans une petite casserole à feu moyen, faire fondre le beurre avec la purée de piments forts. En utilisant une petite louche, retirer régulièrement et délicatement la mousse qui se forme sur le beurre pendant qu'il brunit. Cette opération nécessite 10 à 12 minutes.

2 Réserver, jusqu'au moment de la cuisson à la poêle des gnocchis.

1 gousse d'ail
2 c. à s. (30 ml) de coriandre fraîche
2 c. à s. (30 ml) de persil italien frais
2 c. à s. (30 ml) de menthe fraîche
2 c. à s. (30 ml) d'estragon frais
1 citron
2 c. à s. (30 ml) d'huile d'olive

1 Hacher l'ail et les herbes fraîches, et les placer dans un bol.

2 Incorporer le zeste du citron, son jus, et l'huile d'olive.

3 Bien mélanger et ajouter à la toute fin sur les pacanes épicées au beurre.

SUGGESTION DE LA SOMMELIÈRE

**Tenuta Guado al Tasso
Bolgheri Il Bruciato (Italie)**

Je vous propose de découvrir un très grand domaine de la région de Bolgheri, La Tenuta Guado al Tasso. Appartenant à la famille Antinori et sous la supervision de jeunes passionnés, la petite cuvée du domaine, Il Bruciato, donne un vin tout à fait délicieux. D'assemblage cabernet, merlot et syrah, cette cuvée brille par son équilibre et sa précision. Ce vin saura faire belle figure avec ce plat typiquement italien.

*Alternative : un vin italien... gnocchis obligent !
De la Toscane idéalement.*

CODE SAQ 602342 - 21,75 $

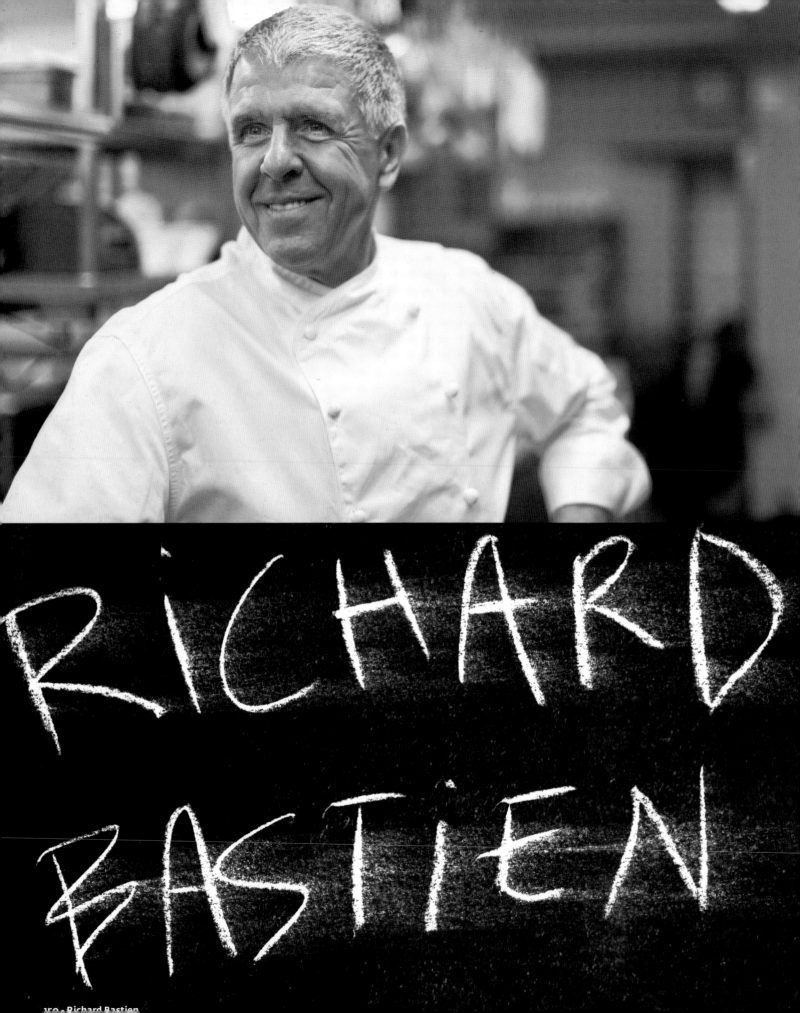

RICHARD
BASTIEN

LEMÉAC

1045, avenue Laurier Ouest, Outremont (Québec) H2V 2L1
514 270-0999   www.restaurantlemeac.com

LE MITOYEN

652, rue de la Place-Publique, Laval (Québec) H7X 1G1
450 689-2977   www.restaurantlemitoyen.com

Le chef Richard Bastien œuvre dans un établissement connu autant pour son style que pour la notoriété de ses convives, mais, surtout, pour les plats qu'il y confectionne. Leméac, c'est ce beau et grand café bistro de l'avenue Laurier Ouest à Outremont, où plus de 150 gourmets peuvent venir se rassasier dans un décor de bois précieux et de marbre. Si on ajoute à cela un menu raffiné, sans prétention, une liste de vins luxueux et les meilleurs fromages québécois, on obtient la recette du Leméac. Le chef Bastien s'inspire de la fraîcheur et de la qualité des ingrédients pour concocter des plats français classiques, simples, à saveur moderne. Tout y est fait maison, même les desserts composés avec le légendaire chocolat Valhrona.

Richard Bastien, originaire de Sainte-Dorothée à Laval, est l'un des rares chefs autodidactes du Québec. Fils de maraîcher, il a pris goût très jeune aux produits frais et a peu à peu développé un intérêt pour la cuisine. En 1977, il se lance dans la restauration en ouvrant Le Mitoyen à Sainte-Dorothée (où il cuisine d'ailleurs encore régulièrement le samedi soir). C'est l'un des meilleurs restaurants de Laval, et l'un des rares établissements à avoir reçu la cote Quatre Diamants du CAA-AAA. Le chef s'installe à Montréal en 1999 pour l'ouverture du Bistro Le Café des beaux-arts situé au Musée des beaux-arts de Montréal. Deux ans plus tard, avec son partenaire Émile Saine, il ouvre le Leméac. Richard Bastien a reçu de nombreuses distinctions culinaires, au Québec et ailleurs. En 2006, il a publié le livre à succès *Cuisine bistrot Leméac*.

AUX AROMATES

POUR :	TEMPS DE PRÉPARATION :	TEMPS DE CUISSON :
4 PERSONNES	20 MINUTES	10 MINUTES

RTICHAUT

s artichauts
uile d'olive
nches de thym frais
ille de laurier
vin blanc
bouillon de légumes
citron
et poivre, au goût

1. Tourner les artichauts (voir photos ci-dessous), pour obtenir 4 beaux cœurs prêts à consommer.

2. Dans une poêle, à feu moyen, faire sauter les cœurs d'artichauts avec de l'huile d'olive, durant 3 à 4 minutes, le temps qu'ils soient légèrement dorés.

3. Déglacer avec le vin blanc et incorporer ensuite le bouillon de légumes.

4. Ajouter le thym frais, la feuille de laurier et un peu de sel et poivre, au goût.

5. Couvrir et laisser cuire à feu doux pendant 10 minutes. Les cœurs d'artichauts doivent demeurer légèrement croquants.

OURNER DES ARTICHAUTS

1. Couper la queue.

2. À la main, enlever les feuilles extérieures.

3. Au couteau, enlever la partie verte restante, qui est amère, et la racine des feuilles. Cela doit être fait délicatement afin de ne pas amputer le cœur d'artichaut de sa chair.

4. Couper le manche de l'artichaut (le reste des feuilles).

5. Avec une petite cuillère, retirer le foin du cœur d'artichaut. Encore une fois, cela doit être fait délicatement, afin de ne pas amputer le cœur d'artichaut de sa chair.

6. En guise de finition, au besoin, utiliser un petit économe pour rendre le cœur uniforme, et sans parties vertes.

AROMATES

¼ tasse (60 ml) de poivron rouge
¼ tasse (60 ml) de cœurs de céleri
¼ tasse (60 ml) de fenouil
4 c. à thé (20 ml) d'olives noires
1 gousse d'ail
2 c. à s. (30 ml) d'échalotes françaises
Le zeste d'un demi-citron
4 c. à thé (20 ml) de câpres
huile d'olive
16 tomates cerise
Ciboulette fraîche
Sel et poivre, au goût

1 Couper en brunoise (très petits cubes) le poivron rouge, le céleri et le fenouil. Déposer dans un bol.

2 Hacher finement les olives noires, l'ail et l'échalote française. Les incorporer dans le même bol.

3 Ajouter le zeste de citron, les câpres, l'huile d'olive, le sel et le poivre, au goût. Bien mélanger tous les ingrédients. Réserver.

4 Couper les tomates en deux. Les déposer dans un autre bol. Ajouter la ciboulette hachée et un peu d'huile d'olive, au goût. Réserver.

ASSEMBLAGE

1 Déposer le cœur d'artichaut au centre d'une petite assiette.

2 Garnir de quelques cuillérées d'aromates et de tomates.

3 Finaliser le tout en ajoutant un peu de fleurs de sel, ainsi qu'un filet d'huile d'olive de bonne qualité.

SUGGESTION DE LA SOMMELIÈRE

**Pazo de Senorans
Rias Baixas Albarino (Espagne)**

L'artichaut fait ressortir avec le vin, la plupart du temps, un goût métallique. Il faut donc être vigilant dans le choix du vin et, à la rigueur, privilégier une bonne eau minérale. Si vous désirez malgré tout tenter une expérience harmonique avec l'artichaut, je vous suggère de découvrir l'appellation Rias Baixas et son cépage albarino de la maison Pazo Senorans. Ce vin issu des côtes atlantiques de l'Espagne saura taquiner l'artichaut et vous séduire par ses notes salines et ses pointes de noyau de pêche.

Alternative : une eau minérale douce.

CODE SAQ 898411 - 27,90 $

Quinotto

COMME UN RISOTTO AU QUINOA

POUR : 4 PERSONNES	TEMPS DE PRÉPARATION : 15 MINUTES	TEMPS DE CUISSON : 25 MINUTES

RISOTTO

1	oignon de taille moyenne
3 c. à s.	de beurre
1 tasse (250 ml)	de quinoa
2 tasses (500 ml)	de bouillon de légumes
1 tasse (250 ml)	de fromage Parmigiano Reggiano

1 Hacher finement l'oignon.

2 Dans une poêle profonde, faire fondre la moitié beurre à feu moyen.

3 Ajouter l'oignon et le laisser suer de 3 à 4 minutes.

4 Ajouter le quinoa et l'enrober de beurre. Cuire durant 2 à 3 minutes.

5 Ajouter le bouillon de légumes et porter à ébullition.

6 Couvrir et laisser reposer à feu très doux pendant 15 minutes.

7 Ajouter le parmesan râpé et l'autre moitié du beurre. Bien mélanger.

8 Déposer dans des bols, ajouter les légumes et servir immédiatement.

LÉGUMES

4	asperges blanches
4	petites betteraves jaunes
4	oignons cipollini
16	feuilles de chou de Bruxelles
8	pois mange-tout
8	mini-carottes
½ tasse (125 ml)	de bouillon de légumes
1 c. à s. (15 ml)	d'huile d'olive

1 Dans une casserole, faire cuire les légumes à l'eau bouillante salée, jusqu'à ce qu'ils soient légèrement croquants. Le temps de cuisson varie d'un légume à l'autre et selon leur taille, mais on peut s'inspirer des délais suivants :

asperges blanches : 1 minute
betteraves jaunes : 10 à 15 minutes
oignons cipollini : 3 à 4 minutes
feuilles de chou de Bruxelles : 1 minute
pois mange-tout : 1 à 2 minutes
mini-carottes : 4 à 5 minutes

2 Déposer immédiatement les légumes dans l'eau glacée, afin de stopper leur cuisson et conserver leur apport nutritif et leur couleur. Cela est particulièrement important pour les légumes verts qui tendent à jaunir. Retirer de l'eau et réserver.

3 Pendant la cuisson du quinoa, faire sauter les légumes dans une grande poêle, avec de l'huile d'olive. Ajouter le bouillon de légumes et laisser reposer une dizaine de minutes, afin que s'évapore un peu le liquide.

4 Ajouter du sel et du poivre, au goût.

SUGGESTION DE LA SOMMELIÈRE

**Staete Landt
Marlborough Chardonnay
(Nouvelle-Zélange)**

On aime le chardonnay, particulièrement lorsqu'il est riche mais sans lourdeur, boisé mais sans excès, et qu'il a juste assez de fraicheur pour nous donner l'envie de revenir au verre. Ce plat saura trouver son compagnon d'harmonie, pour un mariage long et durable, avec le chardonnay du domaine Staete Landt. Situé au nord de l'ile du sud de la Nouvelle-Zélande, dans la magnifique région de Marlborough, ce domaine fait partie de mes valeurs sûres au rayon du chardonnay.

*Alternative : un vin blanc
du Nouveau Monde.*

CODE SAQ 10769500 - 28,10 $

GRAZIELLA
BATTISTA

RESTAURANT GRAZIELLA

116, rue McGill, Montréal (Québec) H2Y 2E5   514 876-0116   www.restaurantgraziella.ca

C'est la cuisine italienne qui, depuis toujours, passionne la chef Graziella Battista. Son restaurant fait surgir en elle des réminiscences du temps où toute sa famille se réunissait pour festoyer. Ici, la tradition se mêle à la recherche et à la création. La chef cuisine toujours avec rigueur et chaque étape de la confection des mets est traversée par le souci du travail bien fait. La qualité des produits que Graziella utilise est très importante pour la chef ; elle les choisit avec un grand soin. La même attention est portée à la présentation des plats. Le résultat : des mets légers aux saveurs équilibrées. Son restaurant, situé sur la rue McGill, dans le Vieux-Montréal, se déploie sur trois étages. La grandeur des lieux n'enlève rien au caractère intime et chaleureux de l'endroit. Passionné de vins fins, son conjoint, Pierre Jullien, a composé une carte des vins enviable présentant une sélection de vins distingués d'importation privée.

La cuisine a toujours été la plus grande passion de la chef Battista. C'est que, enfant, elle est « tombée dans la marmite » et sa mère lui a transmis l'héritage culinaire familial. Dès ses 16 ans, elle entre dans le monde de la gastronomie en travaillant à temps partiel pour un traiteur italien tout en poursuivant ses études universitaires. Ensuite, c'est auprès des plus grands chefs de l'Italie qu'elle affine ses connaissances. Même une fois installée au Québec, elle continue à apprendre de chefs italiens invités à l'Institut de tourisme et d'hôtellerie du Québec. Graziella fonde ensuite le restaurant Il Sole où elle progresse sans cesse dans la maîtrise de son art pendant 13 ans, avant d'ouvrir le restaurant portant son prénom. On peut profiter des talents de Graziella en feuilletant notamment *La Cuillère d'Argent*, la bible de la cuisine italienne, un ouvrage garni de centaines de recettes proposées par des chefs légendaires ; Graziella y a été choisie pour honorer la cuisine italienne pour le Canada.

Fonduta

POUR :	TEMPS DE PRÉPARATION :	TEMPS DE CUISSON :
4 PERSONNES	20 MINUTES	3 MINUTES

INGRÉDIENTS

16	tranches de fromage Caciocavallo fumé
⅓ tasse (80 ml)	de rhum
1 tasse (250 ml)	de jus d'orange
2	oranges
3	gousses de cardamome
	Poivre

1 Couper l'orange en suprêmes. Réserver.

2 Dans une petite casserole, incorporer le jus d'orange, les gousses de cardamome et le rhum. Porter à ébullition, et laisser réduire à feu doux pendant 10 minutes. Réserver.

3 Placer 4 tranches de Caciocavallo en éventail sur une assiette plate pouvant aller au four.

4 Répéter l'opération pour les 4 convives.

5 Placer les suprêmes d'orange sur les tranches de Caciocavallo et les asperger de réduction de jus d'orange.

6 Placer les assiettes au four, de 2 à 3 minutes, à 350 °F, le temps que le fromage soit fondu.

7 Ajouter du poivre frais et servir immédiatement.

Ravioli

DI RICOTTA E PECORINO TARTUFATTI

POUR : 4 PERSONNES	TEMPS DE PRÉPARATION : 60 MINUTES	TEMPS DE CUISSON : 5 MINUTES	TEMPS D'ATTENTE : 20 MINUTES

FARCE

1 ½ (600 g)   contenant de fromage ricotta frais

1 tasse (250 g)   de fromage Pecorino âgé râpé

1 tasse (250 g)   de fromage parmesan râpé

2 c. à s.   de pâte de truffes

2   œufs

½   noix de muscade fraîchement râpée

Sel et poivre

1   Dans un bol, mélanger tous les ingrédients. Assaisonner.

2   Réserver au frais, jusqu'au moment de farcir les raviolis.

RAVIOLIS

6   œufs

4 ⅓ tasses (500 g)   de farine

½ c. à soupe (10 g)   de sel

1   À l'aide d'un batteur à socle, bien mélanger les œufs et le sel.

2   Ajouter la farine une demi-tasse à la fois, jusqu'à ce qu'elle soit bien incorporée au mélange.

3   À la main, pétrir la pâte durant 2 à 3 minutes, jusqu'à l'obtention d'une belle pâte homogène.

4   Couvrir la pâte avec un linge et laisser reposer durant 20 minutes sur le comptoir.

5   À la machine à pâtes ou au rouleau, amincir la pâte le plus finement possible (approximativement 2 mm).

6   Détailler la pâte en carrés égaux de 2 pouces sur 2 pouces. Répéter ces opérations jusqu'à l'obtention du nombre de pâtes à raviolis désiré.

7   Séparer les morceaux en deux parties. Placer la première partie sur une surface plate et légèrement enfarinée. Bien les aligner.

8   Placer une cuillérée à thé de farce au centre de chaque carré de pâte.

9   Superposer les autres carrés de pâte afin de fermer le ravioli. Presser les bords avec les doigts, afin de coller ensemble les deux morceaux de pâte.

10   Réserver sur une grande plaque enfarinée.

11   Porter une grande casserole d'eau à ébullition. Saler.

12   Faire cuire les raviolis dans l'eau bouillante durant 3 minutes.

13   Incorporer les raviolis dans une sauce tomate fraîche préparée d'avance. Servir immédiatement.

SUGGESTION DE LA SOMMELIÈRE

Fattoria La Massa
Toscana IGT Giorgio Primo (Italie)

Je vous propose ici un vin toscan de caractère. Nous sommes au cœur du Chianti chez Giampaolo Motta. Grand homme du vin, il nous propose son Giorgio Primo, vin à dominance de merlot et de cabernet sauvignon qui, dans les millésimes plus récents, ne contient pas de sangiovese. C'est un vin racé qui gagnera à vieillir. Il a la trame d'un grand Bordeaux, mais, heureusement, pas le prix! Si vous tentez cette aventure gourmande avec le dernier millésime de Giorgio Primo, je vous recommande de mettre ce dernier en carafe.

*Alternative : un Brunello
di Montalcino.*

CODE SAQ 10986053 - 82,75 $

DENIS GIRARD

SERGE ROURRE

Denis Girard est chef exécutif du Casino du Lac-Lemay où se trouve Le Baccara, un restaurant distingué, voire prestigieux, qui plane dans les hautes sphères de la gastronomie depuis plusieurs années. L'ambiance, tout de luxe et de somptuosité, en fait un endroit privilégié pour déguster des plats de cuisine française, composés de produits frais et de qualité du marché. Au menu se trouvent aussi des mets inspirés des plus grandes traditions culinaires internationales. Les sommeliers du Baccara y jouent un rôle essentiel et travaillent à créer une expérience où mets et vins sont en parfaite harmonie. Un grand cellier de bois contient 500 des plus grands crus du monde ; du côté de la cave à vin, ce sont plus de 13 000 bouteilles qui attendent d'être ouvertes et dégustées.

Dans la cuisine ouverte du Baccara, le chef Serge Rourre dirige son équipe dans la production pour servir ce qu'il y a de meilleur à ses clients. Diplômé en cuisine de l'École Hôtelière d'Avignon en 1978, il continue à perfectionner son art culinaire au sein de différents établissements de Relais & Châteaux, puis de grands restaurants de la France. En 1996, il s'installe à Montréal, occupant tour à tour le rôle de chef de cuisine au Ritz-Carlton, de chef chez Claude Postel, à L'Armoricain et, enfin, de chef au Baccara en 2001. Il a accumulé plusieurs distinctions. Il a d'abord été finaliste (1986) et demi-finaliste (1990) au concours international Pierre Taittinger. Puis, en 1998, au concours Le Porc en tête, il remporte la médaille d'argent dans la catégorie « Entrées » du *Concours gastronomique*.

Un an plus tard, il atteint la première position toutes catégories confondues au concours culinaire *Les Toqués de Natrel*. Enfin, il remporte le prix Chef de l'année 2008-2009 à l'occasion du gala *Les Prix Épicuriens* ; au même moment, Le Baccara reçoit la mention du restaurant de l'année.

Denis Girard cuisine depuis qu'il 18 ans. Sa formation à l'Institut de tourisme et d'hôtellerie du Québec l'amène d'abord à se spécialiser en nouvelle cuisine québécoise. Son premier emploi à l'hôtel de l'ITHQ lui enseigne le plaisir d'essayer de nouvelles combinaisons et d'oser l'audace en cuisine. Il suit ensuite des stages sur le paquebot Le Mermoz, puis au Montreux Palace, en Suisse. De retour au Québec, Denis Girard œuvre dans divers restaurants et hôtels de la métropole et devient le premier sous-chef chez Cara. Il occupe ensuite le poste de sous-chef au Casino de Montréal en 1996. Trois ans plus tard, il y est nommé chef de cuisine. C'est en 2003 qu'il décroche son poste actuel au Casino du Lac-Leamy à Gatineau. Membre actif de la Société des chefs, cuisiniers et pâtissiers du Québec, Denis Girard se dit passionné et méthodique en cuisine. Signe d'une capacité pour la haute voltige, le duo Girard-Rourre maintient le cap de l'excellence depuis 2001 : Le Baccara est récipiendaire du prix Cinq Diamants, décerné par les Associations CAA / AAA. Depuis les 11 dernières années, l'établissement a reçu la plus haute distinction du *Guide Debeur*, une prouesse unique au Canada.

Recette à la page suivante

Pressé de fenouil

PAR DENIS GIRARD

ET COMPOTE DE TOMATES, GRATINÉS AU FROMAGE DE CHÈVRE, SALSA AUX AROMATES ET PESTO DE ROQUETTE

POUR :	TEMPS DE PRÉPARATION :	TEMPS DE CUISSON :	TEMPS D'ATTENTE :
4 PERSONNES	30 MINUTES	45 MINUTES	24 HEURES

COMPOTE DE TOMATES

3 c. à s, (60 ml) d'échalote française
4 tomates
3 c. à s, (45 ml) d'huile d'olive
½ gousse d'ail
1 bouquet garni
1 c. à thé (5 ml) de thym frais
Sel et poivre, au goût

1 Hacher l'échalote française et l'ail.

2 Épépiner et couper les tomates en dés.

3 Dans une grande poêle, faire chauffer l'huile d'olive à feu moyen.

4 Incorporer 3 des 4 cuillérées à soupe d'échalote hachée et les faire suer de 2 à 3 minutes.

5 Ajouter les dés de tomates, l'ail haché, et le bouquet garni. Assaisonner au goût.

6 Laisser cuire durant 20 minutes, jusqu'à l'évaporation de l'eau de végétation.

7 Ajouter le thym haché, retirer le bouquet garni et réserver.

GRATIN AU FROMAGE DE CHÈVRE

¼ tasse (60 ml) de beurre tempéré
¼ tasse (60 ml) de pain tranché
⅛ tasse (30 ml) de fromage de chèvre

1 Au robot culinaire, mélanger le fromage, le beurre et le pain, jusqu'à l'obtention d'une pâte lisse.

2 Sur du papier ciré, étaler la pâte uniformément pour qu'elle atteigne une épaisseur d'un demi-centimètre. Réserver au frais au minimum une heure.

3 Au moment de gratiner, retirer la pâte du réfrigérateur et tailler 4 morceaux de la même grandeur que le pressé de fenouil et la compote de tomates.

PESTO DE ROQUETTE

1 tasse (250 ml) de roquette fraîche
3 c. à s. (45 ml) de parmesan râpé
3 c. à s. (45 ml) de noix de pin
½ gousse d'ail
⅓ tasse (80 ml) d'huile d'olive

1 Au mélangeur électrique, combiner tous les ingrédients jusqu'à la formation d'une pâte homogène. Réserver.

SALSA AUX AROMATES

½ courgette
¼ poivron rouge
¼ poivron jaune
¼ fenouil
2 c. à s. (30 ml) d'olives Kalamata
1 c. à s. (15 ml) de câpres
2 gousses d'ail
2 c. à s. (30 ml) de basilic frais
2 c. à s. (30 ml) de thym frais
2 c. à s. (30 ml) de romarin frais
½ tasse (125 ml) d'huile d'olive
Sel et poivre, au goût

1 Couper tous les légumes en brunoise (petits dés).

2 Hacher les herbes fraîches.

3 Dans un bol, bien mélanger tous les ingrédients, et laisser mariner le tout pendant 24 heures.

FENOUIL

1 fenouil
1 c. à s. (15 ml)
+ 1 c. à s. (15 ml) d'huile d'olive
1 bouquet garni
Le jus d'un citron
1 anis étoilé
1 c. à s. (15 ml) de gros sel
1 c. à s. (15 ml) d'échalotes françaises

1 Couper le fenouil en quartiers, en prenant bien soin d'en retirer les fanes (le cœur).

2 Déposer dans une grande casserole et couvrir d'eau.

3 Ajouter le bouquet garni, une cuillérée à soupe d'huile d'olive, le jus de citron, l'anis étoilé et le gros sel.

4 Faire chauffer à feu moyen durant 20 minutes.

5 Retirer du feu et égoutter le fenouil.

6 Trancher le fenouil en grosses lanières et hacher l'échalote française.

7 Dans une poêle, faire chauffer la seconde cuillérée à soupe d'huile d'olive à feu moyen.

8 Faire sauter les lanières de fenouil et l'échalote française durant 4 à 5 minutes.

9 Sur une assiette d'aluminium et au fond d'un emporte-pièce, bien entasser quelques lanières de fenouil. Ajouter 2 cuillérées de compote de tomates, tout en prenant soin de bien compresser les aliments. Terminer en ajoutant une seconde couche de fenouil.

10 Faire chauffer le pressé de fenouil au four à 400 °F durant 15 minutes.

11 Ajouter le gratin de fromage de chèvre et faire griller au four de 1 à 2 minutes.

12 Retirer délicatement le pressé de l'assiette d'aluminium et le déposer dans une assiette de service. Garnir de quelques cuillérées de salsa aux aromates, ainsi que d'un peu de pesto à la roquette.

SUGGESTION DE LA SOMMELIÈRE

**Château La Nerthe
Châteauneuf-du-Pape Blanc
(France)**

Ce sont les notes anisées du fenouil et la fraîcheur du fromage de chèvre qui m'amènent dans la vallée du Rhône méridionale. La Nerthe est un vin blanc en assemblage de grenache, de roussane et de quelques autres cépages autorisés dans cette appellation. Ses jolies notes florales et sa bouche délicate en feront un compagnon de choix. Si vous en avez la possibilité, décantez-le en carafe. Un accord tout en finesse.

Alternative : un vin blanc du sud du Rhône.

CODE SAQ 10224471 - 52,25 $

Cannelonis croustillants

POUR :	TEMPS DE PRÉPARATION :	TEMPS DE CUISSON :	TEMPS D'ATTENTE :
4 PERSONNES	25 MINUTES	20 MINUTES	30 MINUTES

CANNELLONIS

8 feuilles à rouleaux impériaux

¼ de poivron rouge

¼ de poivron jaune

4 feuilles de chou de Savoie

1 petit daïkon

1 carotte

1 gousse d'ail

1 c. à soupe (15 ml) d'échalote française

2 tomates

1 c. à thé (5 ml) de basilic frais

1 c. à thé (5 ml) de thym frais

2 c. à s. (15 ml) d'huile d'olive

½ c. à s. (7,5 ml) d'huile de sésame

1 tasse (250 ml) de roquette fraîche

Huile de canola pour la friture

Sel et poivre, au goût

1 Trancher le poivron rouge, le poivron jaune, les feuilles de chou, la carotte et le daïkon en juliennes.

2 Hacher l'ail et l'échalote, et épépiner les tomates.

3 Dans une grande poêle, faire chauffer l'huile d'olive à feu moyen-élevé. Incorporer tous les légumes à l'exception des tomates et les faire sauter durant 3 minutes.

4 Ajouter les tomates, le sel et le poivre au goût, et faire sauter une minute supplémentaire.

5 Retirer du feu et égoutter. Laisser reposer à température ambiante durant 30 minutes.

6 Ajouter les herbes fraîches hachées et l'huile de sésame. Bien mélanger.

7 Déposer les légumes au milieu d'une feuille à rouleaux impériaux et rouler de façon à former un cannelloni. Répéter cette opération pour obtenir 8 rouleaux. Réserver aux frais.

8 Dans une poêle ou à la friteuse, faire chauffer l'huile de canola à feu élevé. Incorporer les cannellonis et les faire frire 3 minutes.

9 Dresser une assiette en y mettant un peu de purée de pois, ajouter les cannellonis tranchés, et décorer avec de la roquette fraîche et des légumes rôtis. Servir la sauce miso en accompagnement.

SAUCE MISO

¼ tasse (60 ml) de miso

2 c. à s. (30 ml) de mirin

2 c. à s. (30 ml) de saké

2 c. à s. (30 ml) de sucre

2 c. à s. (30 ml) de vinaigre de riz

½ c. à s. (7,5 ml) de sauce soya

½ c. à thé (2,5 ml) de wasabi

1 Dans un bol, mélanger tous les ingrédients jusqu'à l'obtention d'une sauce homogène. Réserver au frais.

PURÉE DE POIS

½ tasse (125 ml) de pois verts frais ou congelés

1 c. à s. (15 ml) de sel

1 Porter une casserole d'eau à ébullition. Ajouter le sel.

2 Incorporer les pois verts et les faire cuire de 1 à 2 minutes.

3 Au mélangeur, réduire les pois verts en purée. Réserver.

LÉGUMES RÔTIS

1 tasse (250 ml) de shiitakes
1 échalote verte
4 petits bok choy
1 c. à s. (15 ml) d'huile d'olive
Sel et poivre, au goût

1 Trancher grossièrement les shiitakes, et ciseler l'échalote.

2 Dans une poêle, faire chauffer l'huile d'olive à feu moyen-élevé.

3 Incorporer l'échalote, les petits bok choy et les shiitakes. Faire sauter de 3 à 4 minutes.

4 Assaisonner au goût et servir sur les cannellonis.

SUGGESTION DE LA SOMMELIÈRE

Saké Takasago Junmai Ginjo Hakusan (Japon)

Il a tout d'un rouleau de printemps, sauf le nom... Pour cela, et à cause de la sauce qui l'accompagne, j'ai eu envie de le marier à un saké. Donc si vous avez envie d'épater les amis, servez-leur un petit gobelet de saké... Froid ou disons plutôt frais, c'est encore plus «dans le vent» quand on a affaire à un saké de qualité comme celui que je vous propose! *Kampai!*

Alternative : optez pour un saké de votre choix. Évitez le saké nigori.

CODE SAQ 11156537 - 37,50 $

MOSTAFA
ROUGAÏBI

RESTAURANT LA COLOMBE

554, avenue Duluth Est, Montréal (Québec) H2L 1A9   514 849-8844

Mostafa Rougaïbi est le chef et propriétaire du restaurant La Colombe, situé sur la légendaire avenue Duluth à Montréal où il fait bon apporter ses meilleures bouteilles de vin. D'origine marocaine, le chef Mostafa est resté fidèle à ses racines, mais aussi à ses amours ; il propose une cuisine française alliée à des influences nord-africaines. Le restaurant est réparti sur deux étages (celui du haut est réservé aux groupes), et son ambiance offre une expérience des plus conviviales. Le menu est détaillé et diversifié ; les plats sont réalisés avec des ingrédients frais du marché. Ce sont les produits locaux qui inspirent le chef au gré des saisons. Les habitués vous diront de ne surtout pas manquer les desserts de La Colombe.

Tout a commencé au Maroc dans la cuisine de la mère du chef. Mostafa était un jeune « très turbulent » ; on a cru bon de le garder occupé en lui faisant mettre la main à la pâte dans la cuisine lors des nombreuses réceptions de la famille à la maison. Il a par la suite travaillé dans quelques restaurants au Maroc, mais ce n'est qu'à son arrivée à Montréal, en 1980, qu'il s'est vraiment épanoui dans son métier. Il a appris la cuisine française avec les meilleurs chefs, à La Gazelle, au Tarot et aux Divas, tout en poursuivant ses efforts pour maîtriser savamment la cuisine marocaine. Cela fait plus de vingt ans qu'il travaille dans le même lieu, depuis qu'il a pris possession des locaux du restaurant Les Divas au coin de Duluth et Saint-Hubert. Pour le sympathique chef Mostafa, ce qui compte, c'est la qualité avant tout ; pour lui, la fine cuisine est simplement une question de goûts et d'odeurs. Ne pouvant « rester sans rien faire », il anime avec passion des ateliers de cuisine marocaine.

Harira

(SOUPE TRADITIONNELLE MAROCAINE)

POUR : 4 PERSONNES	TEMPS DE PRÉPARATION : 15 MINUTES	TEMPS DE CUISSON : 45 MINUTES

INGRÉDIENTS

½ tasse (100 g)	de pois chiches cuits
½ tasse (100 g)	de lentilles cuites
1	oignon
3 c. à s. (45 ml)	de coriandre fraîche
3 c. à s. (45 ml)	de persil frais
2	branches de céleri
4	grosses tomates
1 c. à thé (5 ml)	de gingembre frais
1 c. à s. (15 ml)	d'huile d'olive
8 tasses (2 L)	d'eau
¼ tasse (60 ml)	de concentré de tomates
1	poignée de vermicelles fins
	Le jus d'un citron
	Sel et poivre, au goût

1 Débarrasser les pois chiches de leur peau.

2 Hacher finement l'oignon, la coriandre, le gingembre, le persil et le céleri.

3 Au robot culinaire, broyer les tomates.

4 Dans une grande casserole, incorporer l'oignon, l'huile d'olive, les pois chiches, les lentilles, les tomates broyées, la coriandre, le persil, le céleri, le gingembre, et l'eau. Faire cuire à feu doux pendant environ 40 minutes.

5 Ajouter le concentré de tomates et les vermicelles. Continuer la cuisson durant 5 minutes supplémentaires en remuant régulièrement.

6 Assaisonner au goût.

7 Servir immédiatement avec un trait de jus de citron et un peu de coriandre fraîche.

Couscous Marocain

POUR : 4 PERSONNES	TEMPS DE PRÉPARATION : 15 MINUTES	TEMPS DE CUISSON : 45 MINUTES

COUSCOUS

3 tasses (500 g) de couscous à base
de semoule de blé

1 tasse (250 ml) d'eau

¼ tasse (60 ml) d'huile d'olive

1 c. à thé (5 ml) de sel

1 Dans un grand bol, arroser le couscous avec l'eau et l'huile d'olive. Ajouter le sel.

2 À la main, prendre le soin de bien séparer les grains de couscous.

3 Déposer le tout dans la partie supérieure d'un couscoussier, mais réserver à côté du feu.

LÉGUMES

2 oignons

¼ tasse (60 ml) d'huile d'olive

2 c. à thé (10 ml) de paprika

2 c. à thé (10 ml) de cumin moulu

2 c. à thé (10 ml) de coriandre moulue

2 c. à thé (10 ml) de thym

2 branches de céleri

Une pincée de safran

1 c. à thé (5 ml) de sel

1 c. à thé (5 ml) de poivre

8 tasses (2 L) d'eau

2 carottes

1 tasse (250 ml) de navet

1 tasse (250 ml) de courge Butternut

⅔ tasse (160 ml) de raisins secs

½ tasse (125 ml) de sauce tomate

¼ tasse (60 ml) de beurre

1 Hacher les oignons et le céleri.

2 Dans la partie inférieure du couscoussier, faire chauffer l'huile d'olive à feu moyen. Ajouter les oignons et les faire suer de 4 à 5 minutes.

3 Ajouter le paprika, le cumin, la coriandre moulue, le thym, le céleri, le safran, le sel, le poivre et l'eau. Bien mélanger, et laisser cuire pendant 30 minutes.

4 Poser ensuite le haut du couscoussier contenant le couscous sur sa base et laisser cuire durant une dizaine de minutes, le temps que la vapeur traverse les grains de couscous.

5 Trancher grossièrement les carottes, la courge Butternut et le navet. Les ajouter dans la partie inférieure couscoussier. Laisser cuire 10 minutes supplémentaires.

6 Transférer le couscous dans un grand plat de service et le garnir avec les légumes. Ajouter quelques louches de liquide aromatisé, ainsi que le beurre en copeaux. Servir immédiatement.

RESTAURANT LES 400 COUPS

400, rue Notre-Dame Est, Montréal (Québec) H2Y 1C8   514-985-040   www.les400coups.ca

Au centre du Vieux-Montréal se trouve Les 400 Coups, un restaurant intimiste situé à l'angle des rues Notre-Dame et Bonsecours. L'établissement a été baptisé ainsi en l'honneur du classique du cinéaste François Truffaut. Le design du restaurant témoigne d'un grand souci du détail ; pour preuve, on a fait appel à la céramiste québécoise Pascale Girardin pour créer une vaisselle au look sombre et sauvage qui se marie à merveille à l'esprit des lieux. C'est avec cette intention que le chef Marc-André Jetté conçoit ses plats en accentuant les saveurs sur fond de vivacité, le tout en délicatesse, et en donnant aux légumes une place d'honneur. Ses accords mets et vins sont irréprochables et illustrent la passion des créateurs des 400 coups pour la vigne. La sommelière Marie-Josée Beaudoin travaille de près avec le chef Jetté et le maître pâtissier Patrice Demers, en proposant des verres de ce divin liquide à prix abordable. Ils sont tous les trois copropriétaires des 400 coups, ce bistro moderne pour gourmands. Le menu y est composé selon les saisons, avec le souci de mettre en valeur le talent des producteurs québécois. Un repas aux 400 coups n'est pas complet sans les grandioses desserts de Patrice Demers, surtout que le chef Jetté ajoute sa touche complémentaire à cette expérience sucrée avec de petits plats salés qui s'y marient avec brio.

Marc-André Jetté s'intéresse à la cuisine depuis l'âge de 12 ans. Il a commencé sa carrière en restauration au bas de l'échelle, comme beaucoup de chefs, en travaillant comme plongeur au Théâtre de Rougemont sous la direction de Louis Tremblay. Il entreprend ensuite des études à l'Institut de tourisme et d'hôtellerie du Québec. Sachant depuis des années qu'il deviendra chef, il côtoie durant un an et demi trois des plus grands cuisiniers : Santi Santamaria, Stelio Perombelon et Richard Coutanceau. Il obtient par la suite la bourse Françoise Kayler, qui lui permet de suivre un stage à l'illustre Auberge Hatley dans les Cantons de l'Est. L'année 2003 marque le début de la montée fulgurante de M. Jetté au rang des meilleurs chefs du Québec. Il passe par Bu, et on le retrouve, un an plus tard, dans la cuisine de Laurent Godbout Chez l'Épicier. Par la suite, il participe à l'ouverture du Decca 77 où il travaille sous la supervision de Darren Bergeron, avant d'occuper successivement des postes de chef au Laloux et au Newton, où il fait la rencontre de Marie-Josée Beaudoin et de Patrice Demers. C'est avec eux qu'il fonde Les 400 coups à l'automne 2010.

Le cheminement de Patrice Demers est loin d'être typique. Après avoir été magicien professionnel et avoir fait des études en psychologie, il va apprendre la pâtisserie à l'École Hôtelière de Laval. Alors qu'il est toujours en formation, il se joint à l'équipe de La Gaudriole. Ayant eu la piqûre pour les desserts, il part en voyage aux États-Unis, en Europe et en Scandinavie. Il y découvre la magie des plats de fin de repas où la richesse du fruit surpasse celle du sucre. Le pâtissier devient l'une des vedettes de Canal vie où il anime *Les desserts de Patrice* depuis 2010. Il a écrit le livre *La Carte des desserts* un an auparavant. Pour les mordus, sachez qu'il est possible de suivre ses ateliers à la boutique Les Touilleurs.

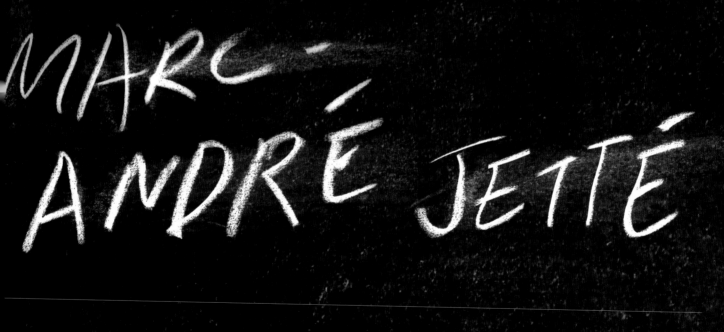

MARC-ANDRÉ JETTÉ

PATRICE DEMERS

Tagliatelles de navet

PURÉE DE TROMPETTES DES MORTS ET ŒUFS CROUSTILLANTS

POUR :	TEMPS DE PRÉPARATION :	TEMPS DE CUISSON :
4 PERSONNES	30 MINUTES	30 MINUTES

ŒUFS CROUSTILLANTS

4 œufs
1 tasse (250 ml) de farine
1 tasse (250 ml) de chapelure
1 œuf battu

1 Porter une casserole d'eau à ébullition et plonger délicatement les œufs dans l'eau bouillante. Laisser cuire pendant 5 minutes. Retirer du feu et refroidir immédiatement.

2 Écailler les œufs.

3 Rouler les œufs successivement dans la farine, dans l'œuf battu et dans la chapelure. Réserver.

CITRON CONFIT

1 citron confit au sel
½ tasse (125 ml) de sucre
½ tasse (125 ml) d'eau
¼ tasse (60 ml) de jus de citron

1 Couper l'écorce du citron confit en fines lanières.

2 Dans une petite casserole, porter l'eau, le sucre et le jus de citron à ébullition.

3 Transvider le contenu bouillant de la casserole sur les lanières de citron confit et couvrir le tout d'un papier ciré.

4 Laisser tempérer et réserver.

PURÉE DE CHAMPIGNONS

4 tasses (320 g) de trompettes des morts (ou autres champignons sauvages)
2 tasses (500 ml) d'échalotes françaises
⅕ tasse (50 ml) de porto blanc
¼ tasse (60 ml) de beurre
1 c. à table (15 ml) de jus de citron
Sel et poivre

1 Ciseler l'échalote française et trancher grossièrement les champignons.

2 Dans une grande casserole, faire chauffer le beurre à feu moyen-élevé. Incorporer les échalotes et les champignons et les faire suer de 6 à 7 minutes.

3 Déglacer au porto blanc et laisser réduire de 4 à 5 minutes.

4 Passer au mélangeur pour obtenir une purée homogène.

5 Ajouter le jus de citron, le sel et le poivre, au goût. Réserver.

TAGLIATELLES DE NAVET

1 gros navet
2 tasses (500 ml) de champignons au choix (chanterelles, pleurotes, de Paris, etc.)
1 botte de kale
½ tasse (125 ml) de ciboulette fraîche
¼ tasse (60 ml) de beurre
Sel et poivre

1 Éplucher et nettoyer le navet.

2 À l'aide d'un petit économe, éplucher le navet jusqu'au cœur, de façon à obtenir les tagliatelles de navet.

3 Trancher grossièrement les champignons.

4 Dans une grande casserole, faire chauffer le beurre à feu moyen-élevé. Incorporer les champignons et continuer la cuisson de 4 à 5 minutes.

5 Incorporer les tagliatelles de navet et laisser cuire durant 3 minutes supplémentaires.

6 Ajouter le citron confit et les feuilles de kale. Laisser cuire durant 1 minute.

7 Ajouter la ciboulette, ainsi que le sel et le poivre, au goût.

8 Déposer les tagliatelles de navet et les champignons dans une assiette de service. Ajouter généreusement la purée de champignons sur le côté.

9 Faire frire les œufs quelques secondes et les déposer sur les tagliatelles. Servir immédiatement.

Flan de courge musquée

POUR : 4 PERSONNES	TEMPS DE PRÉPARATION : 30 MINUTES	TEMPS DE CUISSON : 45 MINUTES	TEMPS D'ATTENTE : 4 HEURES

FLAN DE COURGE

1 courge ou Butternut
1 gousse d'ail
4 branches de thym frais
¼ tasse (60 ml) d'huile d'olive
2 tasses (500 ml) de lait 3,25 %
1 c. à s. (15 ml) d'agar-agar
Sel et poivre

1 Couper la courge en deux, dans le sens de la longueur. Égrainer.

2 Asperger d'huile d'olive et assaisonner.

3 Déposer la courge la face vers le bas sur une plaque allant au four. Ajouter la gousse d'ail coupée en deux, ainsi que le thym.

4 Faire cuire durant 45 minutes au four à 375°F, jusqu'à ce que la courge soit tendre.

5 Laisser tempérer quelques minutes et retirer ensuite la chaire de la courge à l'aide d'une cuillère.

6 Au robot culinaire, réduire la chaire en purée. Assaisonner, au goût.

7 Dans une casserole, incorporer la purée de courge et l'agar-agar. Porter à ébullition et laisser mijoter durant 1 minute, tout en remuant constamment.

8 Couvrir le fond et les côtés de 4 moules à muffins de pellicule de plastique.

9 Verser la purée de courge dans les moules et la placer au réfrigérateur pour 4 heures.

10 Démouler le flan de courge et réserver.

PÂTE BRISÉE

¾ tasse (180 ml) de beurre froid
1¾ tasse (430 ml) de farine
1 c. à s. (15 ml) de sucre
1 c. à s. (15 ml) de sel
1 œuf
1 c. à s. (15 ml) de lait

1 Couper le beurre froid en petits cubes.

2 Au batteur à socle, mélanger la farine, le sucre, le sel et le beurre. Bien sabler le beurre avec les ingrédients secs.

3 Ajouter l'œuf et le lait et mélanger jusqu'à l'obtention d'une boule de pâte. Au besoin, utiliser les mains.

4 Envelopper la pâte d'une pellicule de plastique et laisser reposer 1 heure au réfrigérateur.

5 Sur une surface de travail farinée, abaisser la pâte au rouleau jusqu'à ce qu'elle ait une épaisseur d'environ un demi-centimètre.

6 Déposer la pâte sur une plaque recouverte de papier ciré et réserver durant 30 minutes au réfrigérateur.

7 Cuire la pâte durant 30 minutes au four à 350°F, jusqu'à ce qu'elle soit dorée.

8 Laisser tempérer et briser la pâte en morceaux.

SAUCE AUX CHAMPIGNONS

1 échalote française
1 gousse d'ail
2 tasses (500 ml) de champignons au choix (chanterelles, pleurotes, de Paris, etc.)
½ tasse (125 ml) de vin blanc
¼ tasse (60 ml) de porto blanc
2 tasses (500 ml) de lait
½ tasse (125 ml) de crème 35 %
1 c. à s. (15 ml) de beurre
1 c. à s. (15 ml) d'huile d'olive

1 Hacher finement l'ail et l'échalote.

2 Trancher grossièrement les champignons.

3 Dans une grande poêle, faire chauffer le beurre et l'huile d'olive à feu moyen-élevé.

4 Ajouter l'ail et l'échalote et les faire suer pendant 2 minutes.

5 Ajouter les champignons et poursuivre la cuisson durant 2 minutes supplémentaires.

6 Déglacer avec le vin blanc et le porto. Réduire à sec.

7 Ajouter le lait et la crème et porter à ébullition.

8 Retirer du feu et réduire le tout en purée au mélangeur.

9 Assaisonner au goût et réserver.

ASSEMBLAGE

1 tasse (250 ml) de champignons au choix (chanterelles, shiitake, etc.)

2 salsifis

1 citron

¼ tasse (60 ml) d'amandes rôties

Herbes fraîches au choix (persil, ciboulette, hakarashi, etc.)

1 c. à s. (15 ml) de beurre

1 c. à s. (15 ml) d'huile d'olive

1 Trancher grossièrement les champignons.

2 Éplucher les salsifis et les couper en plusieurs morceaux dans la sens de la longueur.

3 Plonger et laisser reposer immédiatement les salsifis dans un grand bol d'eau froide. Ajouter le jus du citron.

4 Faire cuire les flans 5 minutes au four à 300 °F.

5 Dans une grande poêle, faire chauffer le beurre et l'huile d'olive à feu moyen-élevé. Ajouter les salsifis et laisser cuire durant 2 à 3 minutes.

6 Ajouter les champignons et laisser cuire durant 2 minutes supplémentaires.

7 Déposer les flans au centre des assiettes de service. Ajouter les champignons et les salsifis.

8 Déposer quelques morceaux de pâte brisée et garnir des amandes.

9 Mousser la sauce à l'aide d'un mélangeur à immersion et la servir sur les flans.

10 Décorer d'herbes fraîches.

SUGGESTION DE LA SOMMELIÈRE

**Tenuta Sant'Antonio
Soave Monte Ceriani (Italie)**

C'est vraiment ici la finesse de ce plat qui m'amène à choisir un vin frais, mais sans excès, précis, mais sans exubérance. Nous irons, pour accompagner ce plat, en Vénétie, dans la très jolie région de Soave. C'est chez le producteur Sant'Antonio, Domaine familial, que j'arrête mon choix. Son Soave, vin à base du cépage local garganega, a une belle typicité et a définitivement tout pour plaire... Tout comme son prix.

Alternative : un vin de la région de Soave.

CODE SAQ 11028025 - 18,90 $

ALONSO

ORTIZ

RESTAURANT PINTXO

256, rue Roy Est, Montréal (Québec) H2W 1M6   514-844-0222   www.pintxo.ca

Alonso Ortiz est le chef et copropriétaire du Pintxo, situé sur le Plateau Mont-Royal, un « must » à expérimenter pour goûter aux meilleurs plats de la cuisine basque authentique. Ouvert à l'été 2005, le restaurant baigne dans une atmosphère invitante et chaleureuse, tout en sobriété, qui transporte les convives jusqu'aux charmes du nord de l'Espagne. Les assiettes sont composées dans la simplicité ; quelques ingrédients suffisent pour créer de bons plats savoureux. Chez Pintxo, le service se déroule avec distinction et élégance. La carte des vins de l'établissement nous permet de choisir parmi une vaste sélection de crus espagnols que l'on peut commander au verre ou à la bouteille. Le nom du restaurant signifie « petites bouchées » en langue basque : cela définit parfaitement le riche et précieux contenu des plats qui y sont servis.

Le chef Ortiz s'est converti à la « nueva movida Basca », alliant la tradition à l'avant-gardisme. Les points de repère du chef sont ses racines mexicaines – il a étudié au Mexique pour maîtriser son art – et la cuisine familiale de son enfance. Son apprentissage s'est déroulé par la suite avec les plus grandes toques du Pays basque. Devenu un incontournable à Montréal, Pintxo s'est retrouvé en sixième position au palmarès *EnRoute* dans la catégorie des meilleurs nouveaux restos canadiens en 2006.

SUGGESTION DE LA SOMMELIÈRE

**Waimea Estate Pinot Noir
Nelson (Nouvelle-Zélande)**

Cette salade prend toute sa personnalité grâce au
poivron rôti. On peut, pour cette harmonie, opter
pour un rosé savoureux ou un rouge léger. Ici, c'est en
Nouvelle-Zélande que j'ai trouvé un compagnon à cette
salade : le pinot noir de la maison Waimea. C'est un rouge
friand de la région de Nelson, située juste à côté de la
région de Malborough. Son nez engageant de canne-
berge et ses tanins fondus en font un pinot noir qu'on
boit sans soif.

*Alternative : un pinot noir léger
de Nouvelle-Zélande ou un rosé.*

CODE SAQ 10826447 - 22,35 $

Ensaladilla

DE PATATA CON SU ESCALIBADA

POUR :	TEMPS DE PRÉPARATION :	TEMPS DE CUISSON :
4 PERSONNES	15 MINUTES	35 MINUTES

ESCALIBADA

1 poivron rouge
1 poivron vert
1 poivron jaune
Huile d'olive
Sel et poivre, au goût

1 Préchauffer le four à 320 °F.

2 Badigeonner les poivrons d'huile d'olive et les saupoudrer de sel et de poivre.

3 Déposer les poivrons entiers sur une grande plaque et les faire cuire au four durant 35 minutes, en les retournant à mi-temps.

4 Laisser refroidir et couper en juliennes. Réserver.

ENSALADILLA

2 œufs
2 tasses (200 g) de haricots verts
4 pommes de terre de taille moyenne
1 petit oignon
¾ tasse (180 ml) d'olives Kalamata dénoyautées
1 c. à thé (5 ml) de sel

1 Porter une casserole d'eau à ébullition et y faire cuire les œufs entiers durant 10 minutes. Laisser refroidir, les écailler et les couper en quartiers.

2 Porter à ébullition une autre casserole d'eau. Ajouter le gros sel.

3 Blanchir les haricots verts pendant 1 minute dans l'eau salée. Retirer immédiatement du feu et déposer dans un grand bol d'eau glacée afin de stopper la cuisson. En suivant les mêmes procédures, blanchir les pommes de terre de 5 à 6 minutes. Il est important que les pommes de terre et les haricots ne soient pas trop cuits.

4 Couper l'oignon en juliennes et les olives Kalamata en deux.

5 Dans un grand bol à salade, mélanger les juliennes de poivrons, l'oignon, les pommes de terre, les haricots, les olives et la vinaigrette. Décorer avec les œufs.

VINAIGRETTE

⅓ tasse (80 ml) d'huile d'olive
1 citron
⅓ tasse (80 ml) d'oignon rouge
Sel et poivre, au goût

1 Dans un bol, émulsionner le jus du citron et l'huile d'olive.

2 Couper l'oignon en brunoise (petits dés) et l'incorporer à la vinaigrette.

3 Assaisonner, au goût.

Paëlla verde

POUR :
4 PERSONNES

TEMPS DE PRÉPARATION :
15 MINUTES

TEMPS DE CUISSON :
25 MINUTES

RIZ

2 tasses (500 g) de riz à paëlla
4 artichauts
1 brocoli
8 asperges
1 poignée de petits pois
3 c. à s. (45 ml) d'huile d'olive
1 c. à thé (5 ml) de sel

1 Porter à ébullition une casserole d'eau. Ajouter le sel.

2 Tourner les artichauts pour obtenir 4 beaux cœurs (voir à la page 152 la méthode à suivre pour tourner un artichaut).

3 Blanchir tous les légumes durant 1 à 2 minutes dans l'eau salée, idéalement de façon séparée. Les retirer immédiatement du feu et les déposer dans un grand bol d'eau glacée, afin d'en stopper la cuisson. Conserver l'eau pour la cuisson du riz.

4 Dans une grande poêle profonde, faire chauffer l'huile d'olive à feu moyen-élevé. Ajouter le riz à paëlla et faire cuire de 2 à 3 minutes.

5 Incorporer 5 à 6 tasses d'eau ayant servi au blanchiment des légumes. L'eau doit couvrir complètement le riz. Au besoin, ajouter un peu d'eau en fin de cuisson.

6 Ajouter les légumes et les faire cuire à feu moyen durant environ 12 minutes, jusqu'à ce que le riz soit tendre.

7 Ajouter du pesto, au goût, et servir immédiatement.

PESTO

2 tasses (500 ml) de basilic frais
½ tasse (125 ml) d'huile d'olive
½ tasse (50 g) de fromage Manchego
Le jus d'une lime
2 c. à s. (30 ml) de noix de Grenoble
Sel et poivre, au goût

1 Mélanger tous les ingrédients au robot culinaire, jusqu'à l'obtention d'une texture crémeuse et légèrement granuleuse. Servir sur la paëlla.

ÉRIC
GONZALEZ

AUBERGE SAINT-GABRIEL

426, rue Saint-Gabriel, Montréal (Québec) H2Y 2Z9   514 878-3561   www.lesaint-gabriel.com

Depuis 2010, Éric Gonzalez est le chef exécutif de l'Auberge Saint-Gabriel, située sur la rue du même nom, dans une partie du Vieux-Montréal qui plonge le visiteur dans les siècles passés, à l'époque de la Nouvelle-France. L'intérieur de l'établissement détonne avec l'apparence immuable des pierres de la façade extérieurs. Les trois propriétaires ont jeté sur les lieux une touche de leur folie créative lors des rénovations. Pas surprenant lorsque l'on sait que le trio est composé de Guy Laliberté, Garou et Marc Bolay. La carte des vins est élégante et déborde d'originalité et d'audace. Le chef Gonzalez s'intègre parfaitement au décor, en proposant des compositions gastronomiques qui évoquent sa Provence natale comme trame de fond; dans ses mets il orchestre les produits du terroir québécois de telle sorte qu'ils laissent échapper leurs notes délicieuses pour offrir une symphonie de saveurs. Il nous offre une expérience culinaire unique, alliant les racines et les traditions qui le portent à la fine pointe de la cuisine moderne, dont il manie la technique avec brio.

Éric Gonzalez est une vedette de la cuisine depuis sa mi-vingtaine. Il fait alors ses classes à l'École Hôtelière de Nice en 1987, année où il remporte la deuxième place au concours «Grand Cordon d'Or» de Monaco. Le jeune apprenti fait aussi ses classes avec les légendaires Jacques Chibois et Bernard Loiseau, avant de faire une rencontre déterminante à New York avec Christophe Michalak. Il remporte sa première étoile Michelin au Claire-Fontaine à l'âge 27 ans. Vient l'an 2000 où il émigre à Montréal afin de prendre les commandes de la cuisine du Lutétia à l'hôtel de la Montagne dirigé par Bernard Raguenau. Quatre ans plus tard, il hérite du poste de chef exécutif du Cube à l'hôtel Saint-Paul. Le reste de sa feuille de route est remarquable : co-chef du Fereira Café en 2008; chef au Laloux en 2009. Entre-temps, il remporte le titre convoité de Chef de l'année lors du Gala Chartons-Hobbs 2005-2006. Ayant une vision progressiste de l'art culinaire, il a publié le premier livre de recettes virtuel, en ligne sur le site Internet Amabilia. Il est membre à part entière d'un groupe de chefs qui appuient la souveraineté alimentaire.

Sandwich Gourmand

PURÉE DE MARRONS, SALSIFIS ET MOUSSE AUX AMANDES

POUR : 4 PERSONNES	TEMPS DE PRÉPARATION : 30 MINUTES	TEMPS DE CUISSON : 45 MINUTES

PURÉE DE MARRONS

⅗ tasse (150 ml) de crème 35 %
½ gousse d'ail
1 brin de thym frais
1 tasse (250 ml) de marrons cuits
2 c. à s. (30 ml) de beurre
Sel et poivre, au goût

1 Dans une casserole, réunir la crème, la demi-gousse d'ail et le brin de thym. Faire chauffer et laisser infuser à feu moyen durant 45 minutes.

2 Retirer la crème du feu et les verser sur les marrons.

3 Au mélangeur à main, réduire le tout en purée.

4 Lorsque la purée est tiède, ajouter le beurre et assaisonner, au goût. Réserver.

SALSIFIS

8 salsifis de taille moyenne
1 gousse d'ail
1 brin de thym
1 tasse (250 ml) de bouillon de légumes
Le jus de 8 clémentines
1 c. à s. (15 ml) de miel

1 Éplucher les salsifis et les couper en 4 morceaux. Attention, ils s'oxydent rapidement !

2 Dans une poêle, réunir les salsifis, le bouillon de légumes, la gousse d'ail grossièrement hachée et le brin de thym. Laisser cuire à feu doux environ 20 minutes, jusqu'à l'évaporation du bouillon.

3 Pendant ce temps, dans une casserole, réunir le jus des clémentines et le miel. Faire chauffer durant 10 minutes à feu moyen et laisser réduire le mélange jusqu'à ce qu'il soit sirupeux.

4 Mélanger la réduction de jus de clémentines avec les salsifis. Réserver.

MOUSSE AUX AMANDES

1 tasse (250 ml) de lait
⅓ tasse (80 ml) d'amandes torréfiées
2 jaunes d'œuf

1 Dans une petite casserole, faire chauffer le lait durant 5 minutes à feu moyen.

2 Dans un bol, réunir les jaunes d'œuf et la moitié du lait chaud.

3 Remettre dans la casserole et poursuivre la cuisson durant 5 minutes supplémentaires.

4 Ajouter les amandes torréfiées.

5 Au mélangeur à main, réduire le tout en purée.

6 Passer la purée au chinois fin et laisser reposer.

7 Une fois que le mélange est froid, le faire mousser à l'aide d'un mélangeur à main ou d'un siphon.

SANDWICH

Pain brioché
⅕ tasse (50 ml) d'huile d'olive
¼ de gousse de vanille grattée
Le zeste d'une clémentine
Le jus de 2 clémentines
4 gros champignons de Paris
¼ tasse (60 ml) de roquette
Sel et poivre, au goût

1 Couper le pain brioché en 8 tranches d'un demi-centimètre d'épaisseur.

2 Badigeonner les tranches d'huile d'olive et faire chauffer durant 8 à 10 minutes au four à 385 °F, ou jusqu'à ce qu'elles soient dorées.

3 Dans un bol, réunir 1/5 tasse d'huile d'olive et la vanille. Bien mélanger.

4 Ajouter le zeste et le jus de clémentines. Assaisonner au goût et bien mélanger.

5 Émincer les champignons.

6 Sur une tranche de pain, déposer les champignons, un peu de vinaigrette et la roquette.

7 Dans une assiette, étaler un peu de purée de marrons. Déposer les salsifis et la purée de coing. Déposer le sandwich gourmand sur le côté et décorer l'assiette de grosses gouttes de mousse aux amandes.

SUGGESTION DE LA SOMMELIÈRE

**Planeta Cometa
Sicilia IGT (Italie)**

Les nombreux aliments composant ce plat m'incitent à vous faire découvrir l'un de mes vins favoris de la maison Planeta : la cuvée Cometa. Fait à partir du cépage fiano, c'est un vin texturé aux notes de miel et de fruits blancs mûrs. Tout en étant riche, on l'aime pour son équilibre et sa finale qui nous appelle à retourner au verre. Il saura mettre en valeur les salsifis laqués et, très certainement, vous faire tomber sous le charme de cette très belle maison.

Alternative : un pinot gris d'Alsace.

CODE SAQ 705046 - 38,25 $

Granité de mozzarella

ET TOMATES TROIS FAÇONS

POUR : 4 PERSONNES	TEMPS DE PRÉPARATION : 30 MINUTES	TEMPS DE CUISSON : 10 MINUTES	TEMPS D'ATTENTE : 60 MINUTES

GRANITÉ DE MOZZARELLA

2 boules de mozzarella
2 tasses (500 ml) de lait
½ gousse d'ail

1 Dans une petite casserole, réunir le lait, l'ail et le fromage tranché grossièrement. Faire chauffer à feu moyen de 5 à 7 minutes.

2 Au mélangeur à main, réduire le tout en purée.

3 Passer au chinois fin en prenant soin de bien presser la purée afin d'en extraire le plus de liquide possible.

4 Verser sur une grande plaque et mettre au congélateur durant une heure.

SORBET

1 tasse (250 ml) de concassé de tomates (sauce tomate)
6 feuilles de basilic
2 c. à s. (30 ml) de vinaigre de xérès
1 c. à thé (5 ml) de moutarde de Dijon
2 c. à s. (30 ml) de miel

1 Mélanger tous les ingrédients.

2 Au mélangeur, réduire le tout en purée.

3 Mettre en sorbetière jusqu'à obtention du sorbet.

4 Réserver au congélateur.

TARTARE DE TOMATES

4 tomates
2 échalotes
4 feuilles de basilic
2 c. à s. (30 ml) de vinaigre de xérès
2 c. à s. (30 ml) d'huile d'olive
Sel et poivre, au goût

1 Épépiner et couper les tomates en dés.

2 Ciseler les échalotes et le basilic.

3 Dans un bol, mélanger tous les ingrédients.

4 Assaisonner au goût et réserver.

GELÉE DE TOMATES

1 tasse (250 ml) de pulpe de tomates
2 feuilles de gélatine végétale
ou
1 c. à s. (15 ml) d'agar-agar

1 Ramollir la gélatine dans un petit bol d'eau froide (sauter cette étape si on utilise plutôt de l'agar-agar).

2 Dans une petite casserole, faire chauffer la pulpe de tomates et la gélatine ou l'agar-agar durant 5 à 6 minutes à feu doux.

3 Réserver au réfrigérateur.

ASSEMBLAGE

1 sac de riz soufflé
du commerce
(par exemple
des Rice Krispies)

1 Au centre d'une assiette, placer un peu de tartare de tomates.

2 À l'aide d'un moule ou d'une cuillère à crème glacée, obtenir une boule de sorbet et la rouler dans le riz soufflé. Déposer sur le tartare.

3 À l'aide d'une fourchette, gratter le granité de mozzarella et en disposer autour de l'assemblage.

4 Décorer de quelques pointes de gelée de tomates.

SUGGESTION DE LA SOMMELIÈRE

**Fattoria Zerbina
Sangiovese di Romagna Superiore
Ceregio (Italie)**

J'ai ici choisi d'accompagner cette entrée avec un vin fait avec autant de soin que la recette. Je vous amène donc en Émilie-Romagne à la Fattoria Zerbina. C'est Cristina Geminiani, grande femme du monde du vin, qui pilote audacieusement ce domaine d'une main de fer... dans un gant de velours. Ses vins sont un exemple du potentiel des vins d'Émilie-Romagne. La cuvée Ceregio est faite à base d'un sangiovese soyeux qui saura mettre en valeur ce plat très inspiré.

CODE SAQ 11295511 - 16,20 $

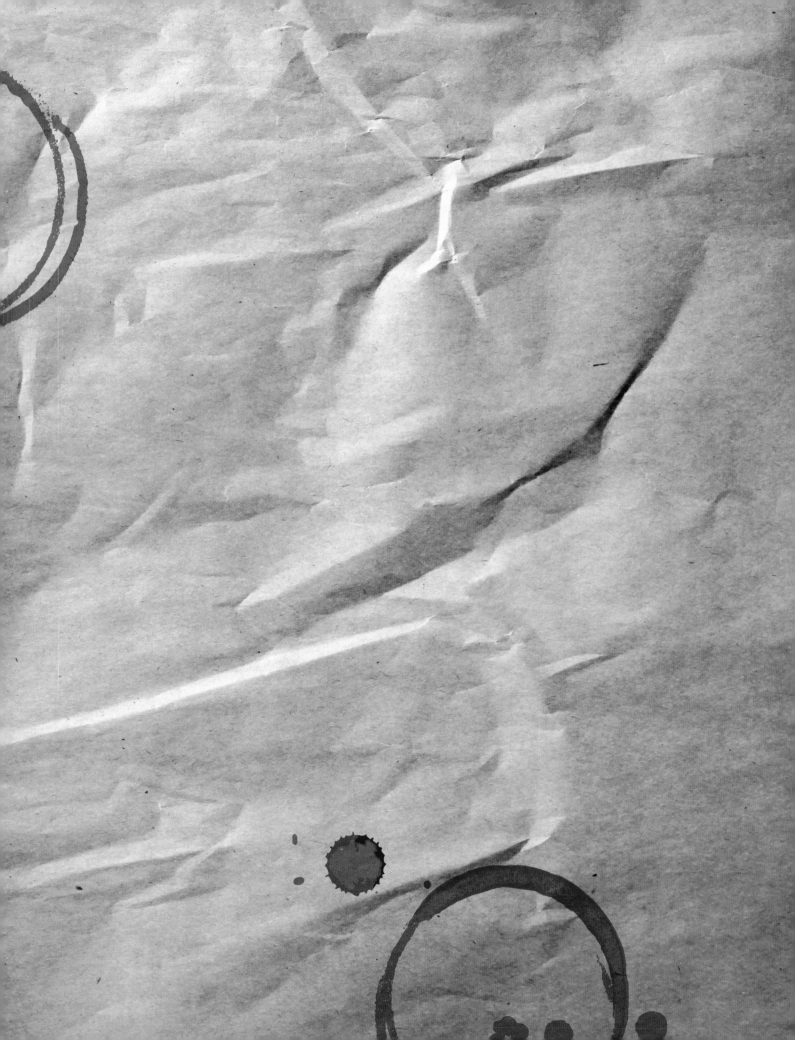